哲学的好奇

昨天的我，今天的我，明天的我

姜宇辉◎著　　夏天姣◎绘

北京科学技术出版社
100层童书馆

图书在版编目（CIP）数据

哲学的好奇 . 昨天的我，今天的我，明天的我 / 姜宇辉著；夏天姣绘 . —北京：北京科学技术出版社，2023.9

ISBN 978-7-5714-3067-2

Ⅰ. ①哲… Ⅱ. ①姜… ②夏… Ⅲ. ①哲学－中国－儿童读物 Ⅳ. ① B2-49

中国国家版本馆 CIP 数据核字（2023）第 091247 号

策划编辑：郑宇芳　樊文静
责任编辑：樊文静
封面设计：沈学成
图文制作：杨严严
营销编辑：赵倩倩
责任印制：吕　越
出 版 人：曾庆宇
出版发行：北京科学技术出版社
社　　址：北京西直门南大街 16 号
邮政编码：100035
电　　话：0086-10-66135495（总编室）
　　　　　　0086-10-66113227（发行部）
网　　址：www.bkydw.cn
印　　刷：天津联城印刷有限公司
开　　本：710 mm × 1000 mm　1/16
字　　数：104 千字
印　　张：10.25
版　　次：2023 年 9 月第 1 版
印　　次：2023 年 9 月第 1 次印刷
ISBN 978-7-5714-3067-2

定　　价：48.00 元

开篇词

　　这将是一场"求真爱智"的哲学冒险。在开始这趟新奇、刺激的旅程之前，我们先来探讨两个问题：第一，作为孩子，你为什么要学哲学？第二，我为什么要给孩子讲哲学？

　　你为什么要学哲学？答案很简单。因为哲学对你的学习和生活来说有实实在在的用处。我大致列出学习哲学的三个用处：

　　一是提高思考能力。其他学科，比如语文、数学、英语等，培养的是语言表达、逻辑思维等某一方面的能力。只有哲学能在不同的学科之间搭建桥梁，让所学知识融会贯通，从而孕育出综合的、整体性的思考能力，培养你爱思考的习惯。

　　二是培养反思精神。无论是苏格拉底的"认识你自己"，还是《论语》里的"吾日三省吾身"，说的都是人要有反思精神。哲学为你提供了一个思考自我、探索自身的机会，这有利于你人格的健康成长。

　　三是拉近你和家人之间的距离。学习哲学，尤其是和爸爸妈妈一起学习哲学，是一个难得的家人之间互相了解和沟通的机会。

　　我为什么要给孩子讲哲学？孩子真的有必要学习那些大人都觉得抽象、难懂的哲学知识吗？我的回答是肯定的——需要学习，原因有三个：

　　首先，哲学是一门独立且历史悠久的学科，本身就有深厚的知识和人文的积淀。如果你不了解历史上伟大的哲学家的著作中所传达的哲思精神，就谈不上学过哲学。而且，在学习哲学的过程中，你不仅能积累知识，还能接受人文精神的熏陶。当你了解了伟大哲学家们的生命故事、思想点滴之后，你会对人类精神的发展有深刻的体悟和崇高的敬意，你也会成长。

　　其次，如果你想真正开始哲学的思考，必须具备辩证能力、推理能力、论证能力……而只有真正的哲学家才能教会你这些本领，只有古往今来的哲学名著才能引领你找到心中那些疑问的清晰完整的答案。

再次，我是一个父亲，在和我女儿的交流过程中，我深切体会到哲学给她带来的益处。同时，我也是一个法国哲学的研究者。法国的哲学教育享誉世界的一个重要原因，是它极为重视哲学史教育和人文精神的培育。我非常希望能和你一起分享我自己熟悉并擅长的内容。

接下来，我要谈谈这本书的讲述方式。我在这本书里做了一些新的尝试：

第一，我采用了大量的对话形式。这既是为了活跃气氛，同时也秉承了从苏格拉底开始的辩证式的哲学思考方法。

第二，我试图更贴近孩子的日常生活，选取适合孩子的哲学道理。书中很多对话的内容和素材都是来自我的生活，来自我跟女儿，以及周围小朋友的对话。我选取这样的内容，是想让哲学鲜活起来，让你知道哲学不应该被束之高阁，希望你能感同身受，发现哲学就在你身边。

第三，表现形式的多样化。你在这套书里会看到各种各样的表现形式，有论证、对话，还有童话、科幻故事等。我想通过这些多样的表现形式，呈现出哲学思考本身的魅力和活力。据我了解，很多小朋友之所以对哲学敬而远之，是因为他们接触的哲学往往都太抽象、太枯燥。本书中那些或长或短的故事，就是我初步的尝试和探索，我努力把新奇、有趣的哲学展现在你面前！

这套书共分三册，分别围绕自我、他人、世界这三个主题层层展开，从小到大、由己及人。围绕这三个主题，我选取了哲学史上一些经典的命题，通过哲学家的生平、基本哲学思想，以及它们跟你日常生活的关系，来讲解那些重要命题中蕴含的道理。希望你读过这套书之后，能清晰明确地表达自己的见解，回应根本的问题，与他人协商或论辩。同时，也希望你能掌握思考的方法和技能，并让它们为你的学习和今后的人生带去帮助。

哲学是一门魅力无穷的学问，真心希望你能喜欢上它，也衷心希望我能跟你成为心灵上的挚友。

开卷有益——让我们一起踏上旅程！

姜宇辉

目　录

第一讲
哲学是什么

　　苏格拉底说"哲学始于好奇"。在接下来的两千多年里，这句话被一代代人口口相传。

哲学始于好奇，好奇始于遇见你

哲学是什么？对于这个问题，哲学家们争来争去、辩来辩去，追问了两千多年！看来这肯定是个很难的问题。既然没有一个明确的答案，那就不妨从我们熟悉的学科入手来了解哲学是什么。比如，我们可以先比较一下学习哲学跟学习其他学科的区别。学习语文，能增强你的语言表达能力；学习数学，能增强你的计算能力；学习声乐，能让你唱出美妙的歌曲。可是，学习哲学，我们能获得什么呢？哲学能给我们的生活、给身边的人带来哪些快乐和幸福呢？如果用一句话来回答，那就是——哲学能让我们学会思考。什么是思考？思考就是学会提出"大问题"，学会使用"大概念"，学会打开"大眼界"。这样看来，哲学可以称得上是一门实实在在的大学问。

哲学是什么？这虽然是一个很难回答的问题，但有一句流传下来的话可以作为我们开启哲学之旅的引子——哲学始于好奇。这句话是古希腊著名哲学家苏格拉底说的，柏拉图在《泰阿泰德篇》中引用了这句话。而哲学正是起源于古希腊，最早的西方哲学家就聚集在那里，尤其是古希腊著名的城邦雅典。雅典人有一个习惯，他们经常聚集在城邦的广场上探讨城市、人生、宇宙等"大问题"，所以最早的哲学其实是从雅典人的对话中诞生的。

柏拉图的哲学著作有一个特点，就是都采用对话的形式。他笔下

的主人公并不是他自己，而是他的老师苏格拉底。柏拉图作品中很多情节的背景是雅典人庆祝节日、举办活动或者遇到诸如战争等事件时，主人公苏格拉底和三五知己聚在一起，探讨与当时发生的事件相关的一些问题。一般都是由苏格拉底先提出一些"大问题"，比如"什么是正义""什么是美""什么是善"等，然后再慢慢引导参与的人得出自己的结论。这种提问式的教学方法叫启发式教学，它的目的不是把知识塞进你的脑袋，而是把你内心的想法激发出来。

在《泰阿泰德篇》中，苏格拉底说"哲学始于好奇"。在接下来的两千多年里，这句话被一代代人口口相传。那么，这个"好奇"是什么意思呢？只有明白了这一点，你才能慢慢感受到哲学的气息。

如果细心观察，你会发现身边好奇心强的人有两个特点。第一，喜欢提问。遇到不懂的知识和事情，他们总会问"为什么"。他们总能发现问题，会在看起来已经确定的事物里找到破绽，就像打开了一扇新的窗户或大门。从已知的事物里发现未知，这就是好奇心强的人具有的强大能力。不过，好奇也并不总是好事。你一定见过很多人，他们对这个好奇，对那个也好奇，但他们把时间都用在提问上了，总是从一个问题跳到另一个问题，就像那些兴奋的小松鼠，见到一个新的松果马上就扔掉了手里的松果，最后落得两手空空。所以，真正好奇的人，除了能提问、会提问之外，还必须得有第二个特点：一问到底。这意味着他们要有恒心，能追着一个问题一路问到底，直至得到最终的答案。

所以，哲学家的好奇往往包含两个方面的意思。首先，世界在他们的眼中不是一目了然的，而是充满各种各样的谜。从他们走进这个世界的大门开始，这个世界上的一切，小到一朵花，大到浩瀚宇宙，都能带给他们无穷无尽的探索与发现的乐趣。哲学家的精神生活很丰富，但他们的物质生活却常常很匮乏。历史上的很多哲学家都很穷，这倒不是因为他们不够聪明或者没有能力，而是因为在生活中，他们可能有百分之九十的时间都在提问题、想问题和回答问题。所以，哪儿还有时间去做别的事情呢？古希腊有一位哲学家叫泰勒斯，他整天埋头思索哲学问题。有一天，他一不小心掉进了沟里。你知道他接下来做了什么吗？他竟然什么都没做！他干脆待在沟里继续思索人生和宇宙。泰勒斯就特别符合"好奇心强的人"的定义：他们时时刻刻都在追问世界的奥秘，而且不追问到底不罢休，哪怕掉到沟里都不怕。泰勒斯在沟里思考问题，沉浸在自己的世界里，但那些旁观的、路过的人开始嘲笑他了。他们说：亏你还是个哲学家呢，你连脚下的路都看不清楚，又怎么能明白宇宙万象的道理呢？泰勒斯怎么回答的，今天的我们已经不得而知了，毕竟那是两千多年前的事情。但后来的哲学家们其实都在帮他回答这个问题——哲学始于好奇。

但是，好奇有什么用呢？

让我们首先从"哲学"这个词在古希腊语里的意思入手。古希腊语中哲学是"philosophia"，这个词由两部分组成，你把它拆开就明白了。前半部分"philo"是"爱、追问、向往"的意思，后半部分"sophia"是"智慧"的意思。所以，哲学这个词的意思就是"爱智慧"，也有人把它解释为"爱智之学"。但是，"爱"和"智慧"这两个词和我们通常理解的意思还不完全一样。"爱"不是单纯的喜欢，比如你爱吃冰激凌、爱打羽毛球、爱看动画片，这里的"爱"是非常喜欢的意思，但"philosophia"一词中"爱"的意思更偏向前面提到的"好奇"。好奇就是追问，就是追问到底。所以，这个"爱"的动力来自你对这个世界无穷无尽的好奇，在这种好奇的引导之下，你才会对喜欢做的事产生浓厚的兴趣，并能一直坚持下去。

那么，使你产生好奇和爱的那个"智慧"到底是什么呢？用游戏来打比方，刚开始你可能对这个游戏一窍不通，什么技能都没有，一上来就输了。但如果你一直玩下去，就会越来越厉害，最后有可能成为"大师"。而智慧也需要这样一个"日积月累"的过程，你只有掌握越来越多的知识，才能搭起智慧的大厦。历史上那些有大智慧的人，他们可能都是头发花白的老者，不过，答案不一定总是这样。柏拉图写过一本伟大的书，叫《理想国》，书中对"智慧"的定义是：对于整个世界的全面、普遍、永恒真理的认识。全面，是指你要看到这个世界的方方面面。普遍，是指你发现的道理应该是这个世界上绝大多数人都认同的。永恒，是指这个道理能够在历史上流传很长很长时间，它有强大的生命力，不会昙花一现。

　　你可能会问，要去哪儿发现这样的道理呢？答案很简单。你可以翻开数学书，书里面的数字、运算规则、几何定理等至少都存在上千年了。甚至可以说，人类开始探索这个世界之前，它们就已经存在了。它们是全面的，因为整个宇宙里所有的东西都可以用一、二、三、四、五来数，用加、减、乘、除来计算，用点、线、面来描画。它们也是普遍的，因为无论什么国家的人，几乎都在用同样的数学原理。它们还是永恒的，在人类几千年的发展中，基本的数学原理几乎没怎么变过，并且它们肯定还会继续存在下去。

　　数学是这样，哲学也是这样，而且哲学里的那个"智慧"要比数学知识更全面、更普遍、更持久。所以，在西方哲学中，数学和哲学的关系很紧密。柏拉图甚至在他的学园门口贴了一张告示：不懂几何学者，禁止入内。这并不是说他老人家特别偏科，而是告诉我们一个道理，数学能帮助你慢慢领悟哲学道理。这个世界上本来就存在一些道理，它们是全面的、普遍的、永恒的。追求这些道理的人，才能称得上是有大智慧的人。而这个"大智慧"，你可能要到很老的时候才会拥有，但追求大智慧的眼界、心胸是从小就可以有，也是应该有的。如果你一开始就把追求智慧当成目标，哪怕最终并没有实现这个目标，你也没什么可遗憾的。因为在追求的过程中，你的眼界和心胸会越来越宽广，人生的境界也会越来越高。

还记得前面讲过的柏拉图的对话式哲学吗？《枚农篇》就是对话式哲学的一篇代表作。我借用里面的著名人物枚农来当我们这套书的小主人公之一。枚农是一个聪明的男孩，但他有点儿固执和任性，所以还需要有一个智慧和耐心的姐姐跟他进行对话。这个姐姐就叫小苏吧，就是"小小苏格拉底"的意思。

你会在阅读的过程中遇到小苏姐姐和枚农弟弟，他们会对一些问题展开对话、争辩、讨论，来引发你的思考。欢迎你和两位小主人公一起踏上"求真爱智"的旅程，让我们跟他们一起，好好辩一辩道理，聊一聊哲理。

一起思考吧

哲学问题都很有趣，一般都没有固定的答案。在思考问题的过程中，你会慢慢体会到探索求知的快乐。

下面的故事取自《庄子·人间世》，读完故事后，请你想一想，故事里的大树告诉了石匠一个什么道理？

一个石匠来到齐国，遇到了一棵又壮又美的参天大树。周围的人都在围观赞叹，但石匠却看了一眼，扭头就走。他的徒弟很纳闷，问他原因。石匠说，这棵树只是看上去好看而已，没什么实际的"用途"，用它来做什么都不成，真的是一无用处！大树听了很不高兴，晚上给石匠托梦，教训了他一顿：你知道我为什么能活这么久而没有被砍掉吗？不就是因为我一无用处吗？这难道不是最大的"用途"？！

请你想一想，哲学最大的"用途"是什么呢？

哲学就是"思想的思想"

前面留的思考题，你想出答案了吗？在梦里，大树跟石匠说的话，是什么意思呢？为什么它会说"无用"反倒是"大用"呢？古往今来，关于这个故事有太多解释了，我就讲两方面的意思。我想很多人读完这个故事，第一印象就是大树有一种"智慧"，因为它能活得久、活得好。说到这一点，也许有人会想到一个成语"明哲保身"。我要考考你，这个成语是什么意思呢？翻翻成语词典，你会发现它的意思是"明智的人善于保全自己"。也就是说，聪明的人知道什么地方有危险，能够事先躲开，以免犯错或有损自己的利益。你是不是觉得这个词的含义很好？

但是，这个词现在有点贬义。因为这里的"明哲"说的不是"大智慧"，而是"小聪明"。请想一想，如果一个人总是把自己的利益放在第一位，打自己的小算盘，遇到任何不正义的事情都不肯出头，一点儿亏也不肯吃，那么，就算他活得长久又有什么意义呢？他为别人、为这个社会和世界做出贡献了吗？说到底，明哲保身的人可能会有些自私自利。

不过，庄子说的应该不是这个意思。在他的故事里，大树可不是耍"小聪明"，而是真有"大智慧"。所以，这里的"明哲"就有点儿像前面讲的"哲学"这个词的最古老的意思——爱智慧。那么，大树爱的是什么智慧呢？它又是怎么爱的呢？用一句话来说就是"关心自己"。关心自己和自私自利有什么区别呢？这就涉及"关心"这个词的几层不同含义了。最低层次的"关心自己"往往就是自私自利，以自我为中心，把自己的利益放在最重要的位置——别人最好别惹我，好东西要让我先玩。你的班级里是不是也有这样的同学？他肯定不受别人欢迎吧？我觉得他自己也不会很开心。所以，"关心自己"还应该有一个更高的层次，我们一般把它叫作"伦理"的层次。这个词很专业，我会在后面慢慢解释。用最简单的话来说，伦理就是讲道理、懂规矩。比如，在一个班级里，大家都是这个温暖集体中的一员，就应该彼此关心，相互帮助，这样别人才会爱你，你在这个群体里才会

快乐，每天都能量满满地去上学。所以，懂得"伦理"的人也是懂得"关心自己"的人，因为他知道什么应该做，什么不应该做，知道什么事情是好的，什么事情是坏的。这个是非观很重要。

那么，是不是懂道理就是关心自己的最高境界呢？好像还不是。"哲学始于好奇"，对于真正有好奇心、有探索欲的孩子来说，我们仅仅跟他们说"应该"怎样，"必须"做什么，他们可能听不进去，可能马上就会反驳一句"为什么""凭什么"。面对他们的"为什么"，我们应该怎么回答呢？仅仅告诉他们规矩是不行的，还需要"哲学式"的沟通技巧。我们要跟他们解释，每个人是个体，但同时也在群体里，所以，只有在一个群体里，在"大我"里，个人的"小我"才能真正实现，才能真正得到自己想得到的东西，实现自己的梦想。你们不仅需要得到别人的帮助，还需要倾听别人的意见，学会跟别人沟通合作，这样才能一步步走向成功。是不是经过这样的解释后，你大概能慢慢理解，原来所有的"应该"后面都蕴含着一个道理、一个大的智慧。

这个智慧就是对于人和世界之间关系的全面、普遍、永恒的认识。这三个词我们在前一部分已经提到过了,你可以回想一下。

所以,真正的关心自己就是"认识自己",也就是认识自己在这个世界上的位置,以及你与身边的人和事之间的关系。真正关心自己的人不会是自私自利的,也不会是井底之蛙,他们总是有开阔的胸怀、广阔的眼界。大树是有大智慧的,不是因为它整天自私自利地想着如何"明哲保身",而是因为它能跳出自己那一方狭小的天地,看到更大的世界。所以大树不仅活得久,而且生命力蓬勃。

庄子的寓言蕴含着中国古老的智慧,接下来我换个风格,讲一个来自法国的童话——大家都非常喜欢的《小王子》。大树的故事告诉我们什么是真正的关心自己,那么,小王子的故事又告诉了我们什么道理呢?

我从小王子登场的情节说起。飞机坏了,飞行员被困在了沙漠里。他很绝望,因为没有人能够帮助他。这时候小王子出现了,他跟飞行

员说：请问，您可以为我画一只羊吗？好奇怪的问题。小王子没有问飞行员需要什么帮助，而是让飞行员画一幅小羊的画。毕竟小王子还是个孩子嘛，所以飞行员很耐心地画了起来。但飞行员接连画了好几幅，小王子都不满意。又累又渴的飞行员可不是好惹的。你知道他最后画出来的羊是什么样子的吗？他匆匆勾了几笔，画了一个盒子，他对小王子说：你满意了吧？随便你想要什么样的羊，都可以从这个盒子里变出来！没想到，这一次小王子很满意。

这真是一个很奇妙的故事。你能从中读出什么道理呢？有人说，跟别人打交道要友善、有耐心，因为每个人都是大海里的小水滴。还有人会说，做事要讲求方式和方法，有的时候换一个思路就会打开一片新天地，因为好奇是从已知中看到未知。这些都对，但是都没有提到"盒子"这个核心问题。飞行员最后找到的答案是什么呢？一个装满各种可能的盒子！它就像一粒种子，可以长成各种形状的大树；它也像一个细胞，可以孕育出千姿百态的生命；它甚至可以是宇宙的那个起点。你是不是也问过这样的问题：我们生活的这个宇宙到底是从哪儿来的？人是从哪里来的？别看今天我们的人体结构这么复杂，比你能想到的最复杂的机器还要复杂一万倍，但是，最早的生命就是从一个单一的细胞开始的。这个细胞又是从哪里来的呢……这样无穷无尽地倒推回去，宇宙肯定有一个起点吧，万事万物都是从那个起点演化出来的。至于这个起点是什么，科学家们可真是费尽了脑筋来解释。有些科学家说这个起点就是"大爆炸"。虽然今天的宇宙看上去无边无际，但它就是起源于最初那个很小很小的产生了大爆炸的点。

这样看来，飞行员的盒子是不是跟宇宙的起点很相似呢？既然我没办法画出世界上所有的羊，我也不知道你想要的到底是哪一只羊，那我就画出那个起点——盒子，所有的羊都可以从盒子变出来。多么有智慧的飞行员啊！我们接着往下想，所有的羊有一个起点，整个宇宙也有一个起点，那么人的思想是不是也有一个起点呢？是不是人的思想一开始也装在一个盒子里，然后爆发出层出不穷的想法，让这个世界变得越来越有趣呢？当然，有些想法是很可怕的，会给这个世界带来灾难。

哲学始于好奇，哲学是爱智慧，这些都对，但哲学本身是什么呢？

我们可以说哲学是"思想的思想"，是一切思想的起点。哲学就像一个充满魔力的思想盒子，从里面可以变出不可思议的点子。这有没有让你想到魔方呢？会玩魔方的孩子给人一种非常聪明的感觉。哲学家要比玩魔方的孩子聪明一万倍，因为他们玩的就是人类思想的魔方。人类历史上很多新鲜有趣的想法，就是从哲学家手里的那个神奇的魔方里变出来的。哲学家是不是很厉害呢？也许你学了哲学以后，会比他们更厉害。因为，在思想面前，大家都是平等的，哲学家可以玩，

你也可以玩，只要你拥有好奇心和智慧，通过书里的哲学思维训练，你一定能从一个懵懂的小王子变成那个有大智慧的飞行员。

一起思考吧

著名学者朱光潜有一篇文章《论美》，他提到面对"一棵古松的三种态度"：实用的、科学的、审美的。简单理解就是指在日常生活中普通人的态度、科学家的态度和艺术家的态度。这个例子也是关于树的，看来哲学家真的很喜欢树啊。

朱老师讲的三种态度是什么意思呢？我们肯定都在植物园看到过高大、苍劲的古树。我去中山大学参观的时候，校园里有一棵银杏树，据说有两百岁了。面对这样一棵引人注目的大树，不同的人会产生不同的反应和想法。有些人想的很直接、很简单，他们会问，"这棵树这么大，上面的果子一定很多吧，可以摘下来吃吗""这么高的树，砍下来能做不少桌子和椅子吧"，这些就是实用的态度，就是看到一个东西，先问"它到底有什么用"。科学家就不一样了，他们关心的不是这棵树有什么用，而是它到底是什么树，它可以被归为哪一类树，它的生命周期有多长，它开花结果的形态是什么样的……所以科学家更关心的是从这棵树身上了解到的知识。如果来了一个画家呢？他应该不会关心树的用处和树的知识，而只关心一

件事：这棵树到底美不美，美在哪里，能不能用自己的画笔把它留在画布上，变成一件不朽的艺术杰作，让更多的人欣赏。

　　看完这三种人的不同观点，我该留一个作业了。如果一个哲学家看到了这棵两百岁的银杏树，比如柏拉图，你认为他会提出什么问题呢？他又关心什么样的答案呢？

第二讲
认识你自己

听到自己的声音，与自己对话，意味着你开始发现自我了。

听到自己的声音，与自己对话

上一讲回答了"哲学是什么"这个简单又深奥的问题，从本讲开始，我会选取哲学史上最有名的二十几个命题，分别在每一讲中进行讲解。

我们学习哲学一定要学习哲学命题。什么是命题呢？简单来说就是很凝练、精辟的一两句话，字里行间蕴含着最深奥的哲理。所以，如果你学完每一讲之后，能用自己的话把这个命题的基本意思表述出来，那就说明你真的懂了。"认识你自己"就是哲学史上一个响当当的命题。很多人哪怕只了解一点儿哲学，可能都听说过这个命题。那么，它到底是什么意思呢？在讲解前，我们先来认识一下提出这个命题的伟大哲学家苏格拉底。

我们已经知道，哲学起源于古希腊，尤其是雅典这个古希腊的著名城邦。而苏格拉底就是当时雅典最有名的哲学家，之所以这么说，是因为后来的大哲学家柏拉图、亚里士多德都深受他的影响。说到苏格拉底，学哲学的人内心都对他充满了无限的仰慕之情；如果你喜欢儿童文学，说不定也会对一些伟大的文学家充满仰慕之情。你之所以仰慕他们，除了他们有好的文笔之外，也许还因为他们的人格很有魅力，让你不由自主地想向他们学习！苏格拉底对于学哲学的人来说就是这样一个魅力无限的前辈。他不仅绝顶聪明，提出了很多伟大的命题、好用的思考方法。他身上还有一个哲学家最可贵的品格——爱

智慧、爱真理。为了真理，他可以不吃不睡，可以挺身而出对抗强权，甚至牺牲自己的生命也在所不惜。可以说，苏格拉底是所有哲学家的楷模。

　　苏格拉底生活在约公元前469—公元前399年，由于年代过于久远，关于他的生平，文字记载不多。但有一个古希腊哲学家色诺芬记录下了苏格拉底的言行。在他的笔下，苏格拉底不仅有强健的体魄，还有着英雄一般的意志力和勇气，是一个非常坚毅勇敢的战士。据色诺芬

的记录，有一次行军的时候，天气异常寒冷，士兵们里三层外三层地裹着羊毛外衣和毯子，哆哆嗦嗦地缓慢前进。苏格拉底不仅没有添加任何御寒的衣物，甚至连鞋子都没有穿，光着脚在冰面上走得飞快。可见苏格拉底的体格和意志力是多么惊人。

但是，身体好、意志力强只是成为哲学家的基本条件。真正的哲学家还要有一个基本素质——有定力。作为一个充满好奇心的哲学家，他的定力必须非常好，能够不受外界干扰，专心致志地思考问题，直至找到最后的答案。论定力，苏格拉底几乎无人能比。据说有一次他沉思了一天一夜，第二天太阳刚升起时，他想出了答案，向着太阳做了一次祷告，然后才满意地离开。这个故事可能有点夸张，但我们确实从中感受到苏格拉底某些方面超乎常人的能力。哲学就是这样一门可以让人沉迷于思考，可以锻炼人的思维和意志的学问。所以，当你开始学习哲学后，会感到自己的注意力提高了，不太容易分心。

关于苏格拉底为什么能有如此惊人的专注力，传说中有这么一个故事：他在想问题的时候，其实是在心里跟一个很神秘的"声音"对话，而且他从很小的时候就能听到这个声音了。他一直跟随着这个声音的引导，倾听它提出的问题，与它对话。请不要害怕，这并不是鬼故事，也不是神秘的特异功能，这其实是哲学里经常会谈到的一个问题——发现自我。你是不是也有过这样的感觉？当你做错事的时候，好像有个声音在提醒你、纠正你；当你忘记一道题的答案时，会迫不及待地想在心里听到那个熟悉的声音。这些都是自我意识。听到自己的声音，与自己对话，意味着你开始发现自我了。我们的哲学旅程就是从"自我"到"他人"再到"世界"，你将学会用哲学的方法去发现自我。现在反过来想一想，苏格拉底之所以能够成为那么伟大的哲学家，正是因为他很小的时候就开始发现自我了。所以，学习哲学，可以从很小的时候就开始，苏格拉底就是一个很有说服力的例子。

　　苏格拉底身上还有一个闪光点，那就是谦虚。虽然他广受爱戴，但他一点儿都没有自高自大。有一个故事，说苏格拉底有一位粉丝，他实在太崇拜苏格拉底了，就跑到著名的神庙里去叩问神明：苏格拉底大师是不是世界上最聪明的人？神明给了他一个明确的回答：绝对是！这个世界上没人比他更聪明了。不过，苏格拉底是一位极为冷静的哲学家，这种赞美对于他根本不会产生任何影响。听到这个消息之后，他甚至就此提出了又一个响当当的命题："自知其无知"。意思是说，我为什么是世界上最聪明的人呢？还不是因为我最有自知之明！我知道自己其实很无知，所以能够敞开胸怀，追求真理，热爱智慧，倾听别人的批评和意见。这样我才能一点点地成为一个聪明绝顶的人，一个有大智慧的人。相反，有很多人只学了一点儿东西就开始沾沾自喜，殊不知学海无涯，知识的世界是无穷无尽的，只有虚心地承认自己"无知"，才是大智慧的表现。苏格拉底不仅身体好、意志力强、专注力惊人，而且还虚怀若谷，因此他能够成为一个伟大的哲人。

不过，当时苏格拉底也被很多人嫉恨。比如，一个叫阿里斯托芬的喜剧作家就嘲笑苏格拉底，说苏格拉底思考问题的时候就像一只"自负的水鸟"。你可以脑补一下这个画面：一只长腿长脖子的水鸟呆呆地站在水中央，思索人生，对周围的一切都视而不见，是不是很滑稽？阿里斯托芬如此诋毁苏格拉底，是因为他根本不理解苏格拉底，不明白一个人怎么能那么心无旁骛地思考问题。历史证明，苏格拉底才是真正伟大的那个人，而阿里斯托芬只不过是一个哄大家开心的段子手。

苏格拉底还是一个英勇的烈士。因为爱国，因为坚持真理，最后他被不公正地判处死刑。如果他在法庭上认个错、说个谎，也许就不会被处死了。而且，在被定罪之后，他是有机会逃走的。在当时的雅典，有很多年轻人愿意为了保护苏格拉底赴汤蹈火。不过他选择既不说谎，也不逃走，而是坦然地接受判决。在行刑之前，他还非常平静地跟身边的人讨论生死、灵魂等哲学问题，就像平常一样。后来这一幕被记录在柏拉图的《斐多篇》中。还有一个小插曲，苏格拉底在死之前惦念着一件事——他欠了邻居一只公鸡，叮嘱别人一定要还上。因此，柏拉图说苏格拉底是他见过的"所有人中最优秀、最睿智、最公正的人"，这一点儿都不夸张。

到底是什么样的力量激励着苏格拉底去对抗强权呢？是"爱真理""爱智慧"。从苏格拉底开始，"爱智慧"才真正成为哲学家心目中的远大理想。苏格拉底为什么要提出"爱智慧"这个主张。这就要提到他跟当时雅典的另外一群哲学家之间的争论了。这群哲学家被后人称为"智者派"，单纯论智力，他们可能真的不比苏格拉底差。但在苏格拉底看来，他们根本就配不上"哲学家"这个名头，因为他们不爱智慧。为什么呢？因为他们自称是"智者"，也就是拥有智慧的人，甚至是以智慧"自居"的人。这就像一个学霸，每门功课都考第一，天天到处跟人说"不懂就来问我"。你是不是也觉得这样的人其实根本不聪明呢？这些人身上缺少的一个重要品格就是"自知其无知"。所以，苏格拉底才说他们不爱智慧。请想一想，一个自以为有智慧的人，甚至认为自己是天底下最聪明的人，还会费心地思考问题、追求真理吗？他最大的乐趣就是接受别人的顶礼膜拜，或者自我陶醉吧。后来"智者派"落下一个不太好的名字"诡辩派"，也就是说，他们根本不在乎一件事情是对还是错，他们只想着用自己的聪明把身边的人骗得团团转。

苏格拉底发明了一个很好玩也很好用的思维方法，叫作"助产术"——用"提问—回答"的方法找到一个词语的"定义"。请想一想，什么是勇敢？你可以请爸爸妈妈来提问，你来回答，然后让他们试着找到你的破绽和漏洞，再层层推进，直到最后找到一个大家都满意的关于勇敢的定义。

在相互反驳中得到满意的答案

接下来我们要进行一点儿实实在在的哲学思维训练了。我们主要围绕两个知识点来进行，第一个是苏格拉底发明的非常有趣、有用的讨论问题的方法——"助产术"；第二个是围绕一个具体的例子，设想一场虚拟的"助产术"式的争论。

"助产术"是苏格拉底发明的一种讨论问题的方法。之所以叫这个名字，是因为苏格拉底的妈妈是一个助产士，就是帮助妈妈们顺利分娩的人。苏格拉底把自己比作助产士，是因为他最重要的工作就是帮助你从大脑里顺利地把那些精彩聪明的想法和点子"接生"出来。想象一下，生孩子的过程是非常艰辛的，同样，从头脑里产出一个新鲜的想法也是非常不易的。而苏格拉底就是要用他发明的"提问—回答"的方法，一点点帮助你排除各种各样的困惑和错误，得到正确的结论。

　　在进行具体的演练之前，我要介绍一下助产术高明在哪里。这个方法的起点是前面讲到的"自知其无知"。苏格拉底并没有以无所不知的老师自居，而是很谦虚地承认，自己对很多问题也是什么都不知道的，所以才需要跟别人讨论。每一个参加讨论的人都是平等的，大家可以自由地表达自己的意见和想法，而不是说我懂得比你多，你就一定要接受我的想法。这个过程就像爬楼梯，有人走得快，走在前面，就拉后面的人一把。当后面的人发力了，走到了前面，就再拉后面的人一把。大家彼此接力，一步步地往前走，往高处走。

在这个手拉手一起攀登智慧高峰的过程里，有一个最关键的方法，那就是"反诘法"——即反问法。这种方法就是，你先给出一个答案，如果有人觉得你的答案有漏洞，就针对这个漏洞提出自己的质疑，再根据质疑提出他自己的想法，然后你再反驳他。在这样相互反驳的过程中，一点点推进，最后得到一个大家都满意的答案。

但是你有没有想过，在这个世界上还有很多问题，尤其是那些很"大"的问题是没有明确答案的。因此，几千年来，人们才会为了这些大问题不停地争来争去。你是不是觉得这样很浪费时间，为了这些没有答案的问题，有必要吗？你可能一时半会儿想不明白，没关系，请先跟我一起感受一下这些大问题到底"大"在哪里。比如，这个世界从哪里来，它又要往哪里去？你看看家里的钟，会发现时间每分每秒都在流逝，时间到底去哪儿了呢？再比如，你跟好朋友吵架，两个

人不说话了,你想想,本来你们那么要好,怎么一下子就变成这样了呢?是因为彼此没有办法理解对方的想法吗?但是你再想想,怎样才能算是理解对方的想法呢?每个人的想法在你自己的脑袋里,别人又有什么办法钻进你的脑袋呢?如果每个人都没办法真正进入别人的脑袋里,没办法真正理解别人,那么最后的结果肯定不会好。因为大家肯定会一直吵来吵去,最后甚至会升级为可怕的战争。回想一下读过的历史故事,你就会发现,历史上很多战争都是因为人和人之间彼此不理解引起的。

所以,越是那些大问题,就越是没有现成的答案。但越是没有答案,我们就越要去追问,因为如果不去问、不去想,我们的生活就不会变好,我们的世界可能变得很糟。你现在明白苏格拉底为什么要发明"助产术"这个方法了吧?他就是想让我们每个人都能关心这些大问题,能够掌握一些基本的方法去思考这些大问题。当有一天,你真正走上社会,

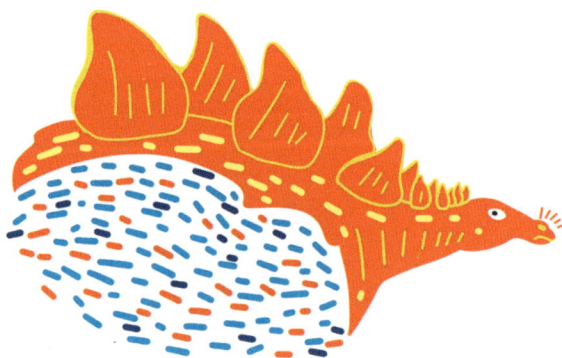

开始工作，甚至自己也成为爸爸妈妈的时候，你就会发现，最重要的问题不是各个学科里知识性的问题，而是那些大问题。你总是想知道"我是谁""世界要往哪里去""人和人之间怎样才能互相理解"……这本书并不能给你一个现成的答案，但是会让你了解这个世界上有哪些大问题，哲学家们又对这些问题进行了怎样的思考。

这样讲或许有些抽象，我们可以一起来演练一下，看看"助产术"应该怎么用，"反问法"又高明在哪里。我选取了苏格拉底自己演示过的一个问题——什么是勇敢，即勇敢的定义是什么。"定义"有两个特点：第一，它很简单；第二，它可以把各种各样的事情都聚在一起，然后找到它们之间相似的地方。其实下定义、找定义是一件很好玩的

事情，比如，你可以和爸爸妈妈讨论一下"什么是树叶"。树叶都是绿色的吗？不一定哦，秋天的树叶是五颜六色的。树叶都是三角形的吗？也不一定哦，很多树叶是圆形的，甚至是星形的。那么，能不能找到一个所有树叶都有的普遍特征呢？你可以画一个表格，把找到的各种各样的树叶放到不同的小格子里，然后通过对比找出这些千姿百态、五颜六色的树叶最相似的地方，这个就是树叶的"定义"。不过，这里有一个问题，你要是满世界一片片地去找树叶，肯定是不现实的。因为这个世界上的树叶无穷无尽，数也数不过来，而且，在我们离开这个世界之后，还会有更多的树叶生长出来，你也无法想象它们的形状和颜色。在这种情况下，你怎样才能找到所有树叶都有的那个"定义"呢？

我想到了一个办法：既然不可能把所有的树叶都捡回来，贴到你的小本子上进行对比，那么，是不是可以换个思路？我自己先提出一个定义，比如，所有的树叶都是绿色的、三角形的，在秋天的时候会干枯下落。然后，我再带着这个定义去找找看，是不是有的树叶不是这样，如果有，就可以一点点地修改这个定义，让它越来越完善。这实际上就是"助产术"的方法：先给出一个答案，然后不断地尝试挑它的错，并一点点地进行修正。

现在，我们请出小苏姐姐和枚农，来回答一下"什么是勇敢"。

小苏：枚农，我看你今天又跟隔壁班级的男生打架了。这样很不好，你为什么总犯这样的错误？

枚农：因为我想证明我很勇敢，我不是胆小鬼！

小苏：那你告诉我，什么是勇敢？是不是不管遇到什么事，一上来就动拳头就是勇敢？

枚农：对！

小苏：那么，假设天黑的时候，你一个人在小路上走，迎面冲过来一只很凶的大狗，这个时候你会直接冲上去吗？直接冲上去是勇敢吗？

枚农：好像不行吧，那样不是勇敢，傻子才会冲上去呢！

小苏：所以光动拳头是不行的，还要有脑子。遇到事情，直接冲上去，往往不是勇敢，反而是愚蠢。真正的勇敢，是你知道你能赢，然后很自信地去赢得比赛。

枚农：小苏姐姐，你这么说好像很有道理。那我们现在能不能给勇敢下一个定义，坚持去赢自己知道能够赢的比赛。

小苏：你好像越来越聪明了嘛！好，我再考考你，你知道你这个定义里最大的漏洞是什么吗？想一想，是不是所有的比赛都是应该赢的呢？比如，你们几个男生比赛，看谁扔石头扔得远，结果你们不管三七二十一地乱扔，砸坏了邻居奶奶家的玻璃！你说，这个时候还能说你们是勇敢的吗？

枚农：你这么一说我感觉很不好意思……因为有一次我们真的比赛扔石头，然后不小心打到了路过的小女孩，把她吓哭了。唉，这真算不上是勇敢，这是"坏"孩子才会做的事情！

小苏：所以，你那个关于勇敢的定义虽然不算错，但是还要修改。前面要再加一句话，变成"坚持去赢自己知道能赢，并且应该赢的比赛"。这样是不是就好多了呢？

枚农：听姐姐这么一说，我想明白了好多！我以后再也不随便动拳头、跟别人打架了。我在行动之前要仔细想一想，自己能不能赢？

这件事情应不应该做？是好还是坏？勇敢，就是有勇气去做真正的好事吧。我觉得在校园里逞强的人，随便欺负别人的人都不是勇敢的人。而那些每天都坚持帮助别人，刮风下雨都坚持做好事的孩子才是真正勇敢、有勇气的人！

听了枚农的这番话，我想不仅是小苏姐姐，可能我们每个人都会很欣慰。这就是"助产术"的力量，它不仅可以训练思维，还能让我们明白更重要的"大道理"。在日常生活里，我们可以学学苏格拉底，用这种"提问—回答"的办法去认识自己。

到这里我希望你已经能够对哲学的问题、哲学的思维方式有了初步的了解。接下来就让我们一起，一步步去攀登智慧的阶梯吧。

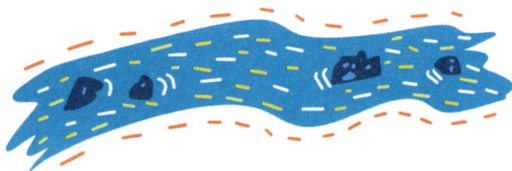

第三讲
人是万物的尺度吗

　　人是万物的尺度，是存在的事物之所以存在的尺度，也是不存在的事物之所以不存在的尺度。

我能做生活的主人吗

　　智者派哲学家普罗塔戈拉提出了"人是万物的尺度"的命题。你可能有点儿糊涂，上一讲不是说智者派都是一帮自高自大、自私自利的人吗？为什么要研究他们的学说呢？智者派在历史上的名声确实不太好，但他们身上也是有闪光点的，而且还不少。所以，千万不能小看历史上任何一位伟大的哲学家，也许有一天你会突然发现，他的某一句话真的说到了你的心坎里。希望通过这一讲，你们能喜欢上普罗塔戈拉，并了解"人是万物的尺度"这句话的伟大之处。

　　在进入大问题之前，先让我们从生活中的小细节开始。比如，一位妈妈想给儿子报一个课外的兴趣班，但被孩子拒绝了，理由听上去非常充分："我不想浪费时间去做自己不喜欢的事情！"这是一个非常典型的回答，不说别人，我女儿也说过几乎一模一样的话。我觉得这个问题可以很直接跟"人是万物的尺度"这个命题联系在一起。小苏姐姐和枚农会给我们演示一下这其中的关系。

　　小苏：枚农，你天天打游戏，还是去报个课外班吧？隔壁的小明报了英语口语课外班，现在他英语已经说得很流利了！

　　枚农：我不去！我不喜欢英语，而且我觉得没用！去做我觉得没用的事情，就是浪费时间！

　　小苏：你觉得没用就没用吗？很多事情你觉得没用，但别人觉得很有用，比如学英语。很多事情你觉得有用，可别人觉得是浪费时间，比如打游戏。

　　枚农：那又怎么样！你去做你觉得有用的事情，我为什么不能做我觉得有用的事情呢？

　　小苏：你怎么判断一件事有用还是没用？

　　枚农：让我高兴的，就是有用！我打开英语课本就想睡，学英语就是没用！没用、没用、没用，重要的事情说三遍！

小苏：好吧，那我再问问你，假如两件事情都很有用，比如学英语和打游戏，你能不能比较一下，哪个更有用？学英语，你可以英语考试考高分，你能看得懂英文童话。但打游戏有什么用？你玩的时候确实很开心，但它会让你荒废学业，让你视力下降，影响你的饮食甚至睡眠。所以，从长远来看，学英语是不是比打游戏更"有用"？如果你是个聪明的孩子，是不是应该选择那个明显"更有用"的事情？

我想你爸爸妈妈也会跟你这样讲道理吧。你觉得道理讲透了吗？你会乖乖听话去学习吗？

你或许会回一句很普罗塔戈拉的话："你说的那些都没用！我觉得开心才是最重要的，我觉得开心我就去做，我为什么不能做我自己生活的主人，为什么要听你的安排呢？你又不知道我玩游戏的感受！"

但整理一下思路，我们就会发现，你说的话实际就是"人是万物的尺度"。所以在这一讲，我想简单介绍一下智者派和普罗塔戈拉，看看最后能不能对顽固的枚农起到一丝点化的作用。

先说智者派。你还记得智者派吧？对，就是那些自诩有智慧的人。所以他们跟苏格拉底这样"爱智慧"的哲学家正相反，他们觉得，智慧这个东西我们已经有了，那还追求什么？教给别人不就行了！这么看起来，智者派真是一帮不讨人喜欢的家伙。但我要提醒你，在古希腊的哲学史上，智者派至少做了两件非常重要的事情：一是把哲学从

天上带到人间，二是让哲学家们认识到语言的重要性。可以说，没有他们，几乎不可能出现苏格拉底这样的伟大哲学家。

　　首先，以苏格拉底为分水岭，古希腊哲学可以分为前后两个时期。在苏格拉底之前，哲学家们都在思考世界的"本原"问题。也就是宇宙从哪儿来，又往哪儿去？这跟今天的物理学家们研究的问题有点儿像。所以，后来这些哲学家就被称作"自然哲学家"，他们只关心自然的运动变化，不关心脚下的大地，更不关心身边的人。之前讲过的那个泰勒斯的故事你一定觉得很好玩，但当时的哲学家真的就是那样，整天抬着头仰望天空，然后说，这个世界是从水里生出来的！因为万事万物里都有水分，陆地之外是无边无际的海洋，植物、动物和人的身体里都充满了水。当然，也有哲学家不喜欢这个答案。比如，赫拉克利特就说：这个世界就像是一团大火！刚开始的时候生机勃勃，但燃烧了一段时间之后就熄灭了。还有的哲学家说，这个世界是气、是土、是种子、是原子，是各种稀奇古怪的东西。

可这么一来，麻烦就大了。如果你是一个从来没学过哲学的小朋友，当你看到一帮自然哲学家吵来吵去，肯定会觉得哲学很无聊、很没用，哲学家就是吃饱饭没事做的闲人，甚至是傻子。不瞒你说，在当时的古希腊人眼里，哲学的形象就是这么差劲儿。所以智者派一出场就开始讽刺自然哲学家：你们就别再吵了，你们说宇宙是水、是火、是气，能争出个结果吗？宇宙那么大，你们这帮渺小可怜的人类有什么能力去认识整个宇宙啊？是不是有点儿自不量力，大言不惭呢！

然后，智者派就说了一句非常"有智慧"的话：渺小的人类虽然认识不了那么大的宇宙，但人类可以认识自己啊！人类可以想想自身生命的意义是什么，从哪里来，往哪里去，人和人之间应该怎样交往和沟通，怎样活着才算是幸福快乐？这些问题是人类能够回答，也应

该回答的吧？所以，哲学家们那么聪明，就别浪费时间去讨论自然了，还是好好关心身边的人和事吧。

从自然转向人间，这是智者派的第一个伟大功绩。接下来再说第二个功绩，那就是语言。语言这个词涵盖的范围有点儿大了，我们就说小学里学的语文吧。我想问一问，你觉得学习语文的最大作用是什么？识字！好。还有呢？造句！也没错。但是你认识字、会造句，最后的目的是什么呢？语文老师想让你们掌握怎样的一种本领呢？如果用一句话来总结，是不是"学会说话"？

那么，请再想一想，为什么要学会说话呢？为什么要把话说得动听，说得流利，说得美妙？是为了表达自己的想法。比如，你看了一部动画片。看完以后，你有一肚子的想法要跟身边的人讲。这个时候你就

要"学会说话"，你要把自己的想法清楚地表达出来，让别人爱上你的想法，你甚至要说服别人接受你的想法。你看，语言是不是一个很神奇的魔法！

你现在明白为什么智者派的哲学家们重视语言了吧？没有语言，人和人之间就没有办法好好沟通。语言就是让人和人凝结在一起的纽带。所以，如果哲学家们想把哲学从自然带回到人间，那么语言就是一个非常重要的媒介。

这么说起来，智者派们就是非常"会说话"的一群哲学家。他们整天坐在那里想，一句话怎么说出来才能真正打动别人、吸引别人，让别人接受你的想法。语言的这个魔力，我们今天就叫"修辞术"。智者派可以说是最早发明修辞术的人。我举个例子你就明白了。比喻就是一种很重要的修辞术。还是接着说刚才看过的那部动画片。你看完以后，想说服同桌也去看，你会怎么说服他呢？"这个动画片超好看，快去看！不看你会后悔一辈子的！"我觉得这样说你同桌基本上不会听。但如果你用一个比喻："我看了这部动画片，进入了一个很美的梦境！画面很美，故事特别好玩，太不可思议了！"你看，你把动画片比作了梦，这句话说出来说不定就对他很有吸引力了。明天要不要在你同桌身上试试？

现在你明白了吧，好好说话真的是一件很有用，也很重要的事情。智者派就是雅典这个城邦里最会说话的一帮人，他们教的修辞术很有用，所以他们很受欢迎。古希腊人很喜欢辩论，做什么事情都喜欢辩论一番，最后得出结论。上一讲讲到苏格拉底的助产术，其实也是从辩论、修辞术演变而来的。古希腊人几乎每天都生活在辩论赛里。比如，有人想在某个地方造个房子，大家就要辩论一下，看看那里适不适合造房子，应该造什么样的房子，怎么造才最节约资源，最高效快捷。

不过，辩论也不一定完美无缺，否则智者派就不会被人们称作"诡辩家"了。什么叫"诡辩"呢？就是一件事情明明没有道理，你自己也知道没道理，但学会了一套智者派的方法以后，你就能让别人相信你的这些话是对的，是有道理的，而且别人还没办法反驳。所以智者派真的是让人既爱又恨！人们爱他们，是因为他们把哲学带回到人间，而且告诉我们语言在生活里有多重要。人们恨他们，是因为他们是非不分，就凭着三寸不烂之舌，硬是把黑的说成白的。你说这样的人怎么能成为哲学家呢？

一起思考吧

我们来看一个诡辩的游戏，这是我根据一个经典的智者派的诡辩改编的。

小苏：学习是很重要的！学习的人比不学习的人聪明！

枚农：瞎说！我问你，你学习的东西肯定是你不懂的吧？懂了的东西还需要学吗？想想也知道吧！

小苏：好像是的……

枚农：那么，在你学会那些知识之前，你是什么都不懂的吧，你是无知的吧？

小苏：我竟然无法反驳……

枚农：所以说，爱学习的人就是无知的人，就是什么都不懂的人。

小苏：……

这明显是诡辩了，而且很容易反驳。你可以操练一下，看看怎么对付枚农这个小调皮。

你的感觉真的很重要

我们分三个部分来讲古希腊智者派哲学家普罗塔戈拉的命题"人是万物的尺度"。第一部分，我会用简单的话解释这句话的意思，然后我们做一个思维训练，尝试反驳一下普罗塔戈拉。第二部分，我们要转变一下思路，想想这样一句看上去似乎不太正确的话，如何成为历史上鼎鼎有名的一句格言，它讲了什么样的深刻道理。第三部分，我要分享一个感人的故事《小小的王国》。

先进入第一部分。我把这个命题原原本本地写出来：

人是万物的尺度，是存在的事物之所以存在的尺度，也是不存在的事物之所以不存在的尺度。

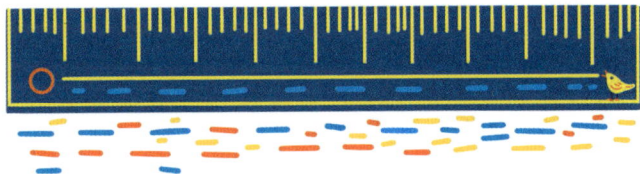

这句话就和魔法学院的咒语一样，让人一头雾水。但这就是哲学，原原本本的哲学。在这句话里，凝聚着人类两千多年的智慧。你现在不懂没关系，但我真心希望你把它记下来。当你长大，变得更聪明、更成熟时，也许是在过了十年、二十年之后，你会突然发现，小时候种下的这一颗智慧的种子突然开花结果，把你带向了更广阔的宇宙。

　　我把这个命题翻译成最通俗、最好懂的话，就是：我喜欢的就是好的，让我开心的就是对的。这句话有道理吗？它是对还是错呢？虽然你在心里偷偷地觉得这句话很有道理，但你肯定不希望身边的小朋友都这么认为吧？比如，你可以想象这样一个场景：你现在是三年级三班的小学生。第一天开学的时候，班主任给大家发了一本《纪律手册》，上面的第一句话就是"人是万物的尺度，所以我喜欢的就是对的"。你看了兴奋得不得了，第二天上学，你就带了自己最喜欢的零食和漫画书，上课的时候一边吃，一边看。因为，只要你喜欢的就是好的！但慢慢地，你感觉不对了。你前面那个男生不仅喜欢吃薯片，还喜欢一边吃一边把薯片当飞机到处扔，撒得你满身都是。你抗议了，可他理直气壮地说："我喜欢，我愿意！"在你们两个闹得不可开交的时候，旁边认真学习的班长也不干了，她也抗议："你们能不能不要发出那么大的声音，我想学习！我喜欢学习！"

　　这样闹了一整天，没有一个人真正开心。你没有看好漫画书，那个男生没有吃好薯片，班长就更惨了，根本没办法学习。所以，如果每个人都把"人是万物的尺度"挂在嘴边，最后的结果肯定不会好到哪里去。小到一个班级，大到一个社会、一个国家，可能最后都会乱成一锅粥。

　　虽然这只是一个想象出来的故事，但你至少明白了，"人是万物的尺度"这句话，如果只从表面上看，好像并不对。接下来，我们来

做一点思维训练。普罗塔戈拉可是古希腊有名的哲学家，他怎么能犯这么低级的错误呢？实际上，"人是万物的尺度"这句话可以用两个很典型的例子来证明。

第一个是风的例子。我们平时出门前经常听天气预报吧。妈妈会跟你说："今天刮风，天很冷，你要多穿点儿，别感冒了！"可你到了学校一看，就觉得很奇怪，大家穿什么样衣服的都有。你穿了一件漂亮的毛衣，可坐在你身边的男生只穿了一件短袖，你们班长穿上了厚厚的外套……如果你经常读哲学家的故事，这个时候就能进行哲学思考了：说天冷是不对的，根本没什么冷和热，是我们自己感觉到冷和热，而且每个人的感觉都不一样。否则，为什么同样的天气，大家穿的衣服却厚薄不同呢？

第二个是蜂蜜柚子茶的例子。有一天，你邀请好朋友小玉来家里玩，妈妈特意给你们做了蜂蜜柚子茶。你平时很喜欢吃蜂蜜，它甜甜的，如果再跟柚子茶放在一起，更是美味。但小玉的反应却让你大吃一惊，她只喝了一口就皱起了眉头："这个饮料好酸……"为什么同样的茶，你喝起来是甜的，小玉就觉得是酸的呢？难道蜂蜜柚子茶会变身，故意跟小玉开玩笑？绝对不可能！你是小哲学家，这种小事情难不倒你。于是你开动脑筋，想到了答案：我们每个人的感觉不同。

其实普罗塔戈拉要说的就是这个道理。你一开始是不是觉得"人是万物的尺度"是一句错误的话？但是，仔细想一想风和蜂蜜柚子茶的例子，你是不是又觉得这句话很有道理？

我来说一说风和蜂蜜柚子茶的例子有什么问题。先说风，没错，

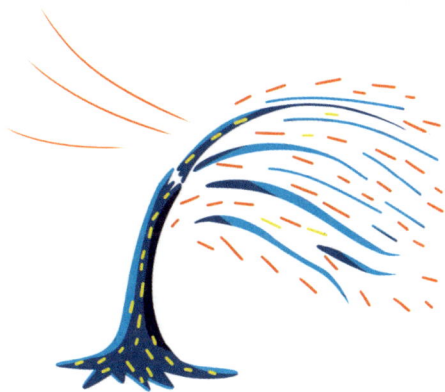

一阵风吹过来，有的人觉得冷，有的人觉得热，这个感觉因人而异、千差万别。但肯定是先有风在吹，吹到了你和同学们的身上，然后你们才会有各种各样不同的感觉。所以在哲学上，我们就把风叫作"原因"，把冷和热的感觉叫作"结果"。原因是在先的，结果是在后的。风在先，冷和热在后。

现在你明白普罗塔戈拉说的"人是万物的尺度"有什么问题了吧？没错，他搞错了原因和结果。风先吹起来，然后你才会觉得冷。先有一杯蜂蜜柚子茶，然后你喝了才会觉得甜。先下了一场雨，然后你身上才会被淋湿。你先感到困，然后才去睡觉……所以人的感受只是结果，怎么可能是尺度呢。

那么，为什么"人是万物的尺度"这句话能流传两千多年，甚至还被写进书里，代代相传呢？那是因为这句话还有一个意思，我来解释一下。

智者派有两大功绩，一个是从自然到人间，一个是强调语言的作用。"人是万物的尺度"说的是第一个意思。普罗塔戈拉想告诉我们，研究自然问题，像刮风下雨、电闪雷鸣、水、气等，这些确实重要，但更重要的是你自己的感受。如果你自己觉得不开心，那这件事情就是很严重的。如果你做一件事情怎么都不高兴，这里面肯定出了什么问题，你应该停下来好好想一想。

比如，你数学成绩下滑，上数学课提不起兴趣，数学老师讲的东西你听不进去。如果出现了这样的状况，你一定要从自己的真实感觉出发找出问题的根源。你要想一想上数学课的时候，你是什么感觉？很烦，很累吗？想闭起眼睛捂住耳朵，不听不看吗？你的答案就是问题所在。或许是因为数学老师喜欢用黄色的底色来做资料图，有点儿

刺眼，所以看上去多少让人感觉疲劳，让你注意力不集中。这就是"人是万物的尺度"的道理。每个人的感觉真的是很重要的尺度。当你感觉不好的时候，就是一个重要的信号，你应该从自己的感觉入手，去慢慢发现和解决问题。

所以，快乐还是不快乐，这个感觉真的很重要。但怎样才是真正快乐呢？你认为的快乐就是真的快乐吗？我给你讲一个故事，叫《小小的王国》。

从前，有一个很小很小的王国，里面只有四个孩子。一个是国王，一个是国王最亲信的大臣，还有两个是这个王国的居民。居民平时的工作就是种植和采摘草莓。王国很小，从一头走到另一头只要五分钟，但王国里的四个人生活得其乐融融。有一天，王国里来了一位访客，是一个可爱的小女孩。草莓园的一个孩子就迷上了她，整天缠着她，要跟她一起玩。结果，他们两个手拉手离开了王国。草莓园里的另外一个孩子就变得很孤单，很不开心，所以没过几天，他也闷闷不乐地离开了。这样一来，王国里就只剩下国王和大臣两个人了。这怎么行啊？一个国家不能只有国王和大臣，没有居民啊！所以大臣就自告奋勇地说，他可以辞职，去草莓园做工人。但这样不行，因为国王平常都是跟大臣在一起，没了大臣，国王也感觉难受。所以国王最后说，那就解散这个国家吧，一起快乐地做回好朋友。

这个故事说的是，真正的快乐只靠自己是没办法获得的，需要人和人之间相互帮助，相互合作。如果你不喜欢数学，找一个可以一起学习数学的同学，两个人组成一个小小的数学王国，说不定就能快乐起来了。所以，我们是不是应该和普罗塔戈拉商量一下，把他那个命题改一改，不再是"人是万物的尺度"，而是"我们是万物的尺度"。因为，只有"我们"在一起，才会有真正的快乐，这样的快乐才会持久，才会有益。

这个世界上各种各样的事情的发生，都是有原因的，但除了原因之外，我们自己对这个世界的感受和看法也很重要。这两方面结合在一起，或许才是普罗塔戈拉的"人是万物的尺度"这句话真正的意思。我们每个人都在生活着、思考着、感受着，这才是完整的世界。

第四讲
内心的堡垒

　　建造这个堡垒不是为了把你关在里面，也不是为了把所有的人都挡在外面。

让我一个人安静一会儿

这一讲，我们来认识另一位西方历史上伟大的哲学家，同时也是一位伟大的皇帝，他就是奥勒留。奥勒留写过一本名垂青史的哲学书，叫作《沉思录》。我会挑出其中两个重要的篇章跟你分享。

我们先从生命里的小问题说起。你会不会常常和爸爸这样说："爸爸，你好烦啊，让我一个人安静一会儿，为什么总要来管我？我想一个人画画、看书、看漫画！"你可能正处在"叛逆期"，爸爸妈妈说什么你都不想听。事实上，这正是你"发现自我"的时期。你想自己一个人玩，不愿意跟爸爸妈妈在一起，甚至开始有自己的小秘密了，偷偷地写日记藏在抽屉里。从哲学的角度怎么解释这个现象呢？哲学家的智慧可以帮助你更健康、更积极地度过"叛逆期"吗？我想用奥勒留皇帝的言行作为例子，来和你聊聊"喜欢一个人待着"这件事，这其中又包含了什么哲理。

让我们先来听听小苏和枚农聊了什么吧。

小苏：枚农，你看你，气呼呼的，谁惹你了吗？好像还哭了！什么事情这么伤心？

枚农：小苏姐姐你来评评理！下午我好不容易把作业都做完了，晚饭前有一点点时间可以画画，所以我就拿出最喜欢的水粉笔，

想把这两天脑子里的那个小恐龙画出来！

小苏：这很好啊！小孩子就应该有创造力、想象力！再说，作业做完了，玩一会儿也没问题。

枚农：可我正画呢，妹妹就跑了过来，一边看一边嚷嚷，"你画的什么呀？一点儿也不像恐龙"。一开始我还忍着，就让她说呗，反正我画的是没有人见过的恐龙！

小苏：挺好的！有哥哥的样子了。

枚农：好什么啊！她后来就挤到我桌子旁边，抢我的画笔，非要把我的恐龙变成她喜欢的样子，凭什么呀！

小苏：你是哥哥嘛，还是要谦让一下。

　　枚农：不行！我的恐龙，我做主！我把她赶了出去，然后把门关起来，再用凳子顶上。谁也别来烦我！就让我一个人安安静静地画画多好！

　　小苏：唉……

　　枚农：可还是不行！妈妈又进来了，问我要不要吃苹果！真烦人！没看见我在创作吗？

　　小苏：赶走了妹妹和妈妈，这下你可以安安静静地"创作"了吧？

　　枚农：是啊，我也是这么想的，可是画着画着，小猫又蹿了过来，把好好的一幅画全弄脏了！

　　小苏：这……真的是挺惨的。所以你才这么生气。

　　枚农：是啊，为什么他们要来打断我呢？为什么我就不能一个人安安静静地做事呢？

　　是的，每个人都需要自己的空间，不管这个空间是大还是小，在这个空间里，你可以专心地做自己的事情，不被别人打扰。

我们回到哲学家奥勒留身上。奥勒留可能比苏格拉底还要厉害，因为他不仅写出了很深奥的哲学书，还把一个庞大的罗马帝国治理得井井有条。奥勒留或许并不能算是一个很优秀的皇帝，在他统治罗马帝国将近二十年的时间里，人们基本上就没有过上安静舒适的日子，不是经历战争，就是遭遇洪水、地震等各种自然灾害，甚至还有瘟疫肆虐，很多人被夺走了生命。奥勒留经常没时间吃饭、睡觉，彻夜为他的国家和人民忧虑。他断断续续地把自己的一些想法写下来，形成了今天我们看到的《沉思录》。这本书还有另外一个名字，叫《马背沉思录》，从书名就能看出来，奥勒留可不像苏格拉底，有那么多时间安安静静地坐着或站着思考哲学问题。他要东奔西走，对抗敌人，治理灾害，他的大部分时间都是在马背上度过的。在这么辛苦的工作中，奥勒留还坚持写下了蕴含深刻思想的著作，是不是很令人敬佩！

《沉思录》是一本很能启发"哲学对话"的好书。如果你想读一读这本书，大可不必按照顺序从头到尾地阅读，你随便从书中挑出一段甚至一句来读，都会觉得耐人寻味。我觉得这本书很适合你和爸爸妈妈一起读，因为书中几乎都是关于人生的格言警句，你们可以一边读一边聊人生，谈道理。《沉思录》里有这样一句话：要像屹立于不断拍打的巨浪之前的礁石，它岿然不动，驯服着它周围海浪的狂暴。

读到这句话，你脑海里大概会出现这样一个画面，汹涌的海浪拍打着礁石，但礁石完全不为所动，坚毅地挺立在那里。你有没有觉得，这块石头跟我们的枚农有几分相似呢？他们好像都有一种定力，都能够在大海的波涛面前毫不动摇。无论是妹妹来吵，妈妈来烦，还是小猫来闹，枚农就是要坚持画完他的恐龙，因为这是他真正想要做的事情，他要排除各种干扰，把这件事做完。所以奥勒留的这句话告诉我

们，想要自己一个人待着也许并不总是坏事。这是你"发现自我"的开始。你开始想在一个属于自己的安静的角落做自己的事情，你开始把自己和周围的世界慢慢区分开。这就像你开始在自己的心里建造一座堡垒，那里面有你最想要的恐龙，有你最宝贵的画，有你只想说给自己听的秘密。这没什么不好的，因为这个堡垒里住的那个人其实就叫作"自我"。能够发现自我，造这样一个"内心的堡垒"，其实是一件很了不起的事情！很多大人也辛辛苦苦地在自己的心里建造这个堡垒呢。

只不过，建造这个堡垒不是为了把你关在里面，也不是为了把所有的人都挡在外面。这个堡垒可以保护你，但你也可以随时自由地出入这个堡垒。

一起思考吧

你可以和爸爸妈妈一起读《沉思录》的第一卷"自我由来"，奥勒留在这一卷里回忆了他小时候的成长过程，从这里面，你能领会到，具备怎样的素质才能慢慢成长为一位大哲学家。当然，并不是每个人都能成为哲学家，而且这个世界上也不需要那么多哲学家。我们需要不同的人去从事不同的工作，这样的世界才会丰富有趣。

你读了之后，可能最大的一个收获就是，你会明白，要成为一个成功的人，一个对社会有用的人，很重要的一点就是学会虚心向身边所有的人学习。学习不只是读书做功课，每个人身上都有值得你学习的闪光点。吸收了这些闪光点，你自己也会成为越来越耀眼的人。

　　你可以和爸爸妈妈讨论一下：到底什么时候应该一个人待着？什么时候你需要跟别人分享自己的小小世界？当别人无意间侵犯了你的小空间时，你怎么做才是有礼貌的？

寻找心中的"雪人"

　　现在，我们跟随奥勒留一起去建造那个内心的堡垒吧。我先分享一个非常经典的童话《雪人》，再聊聊里面谈到的很多哲理，比如孤独、友谊和梦想。最后是小苏和枚农对于《沉思录》的讨论。

　　雪人这个可爱的形象，在古今中外的儿童文学作品里经常出现。为什么呢？想想雪人的样子，你大概就能明白了。在一片白茫茫的天地中，一位小朋友待在暖暖的家里，隔着玻璃孤零零地望着外面的银色世界。这个时候，如果能有一个活泼又可爱的小伙伴出现，两个人一起快乐地玩耍，肯定是一件幸福的事情。所以，很多孩子会把雪人想象成自己的亲密玩伴，它们憨态可掬，充满爱心，在寒冷的冬天里给孤独的孩子带来无比的温暖。还有一点，如果你堆过雪人的话，就会有这样一种强烈的感受，雪人是你自己一点一点亲手堆起来的，上面的每一个装饰物，树枝、帽子和手套，都是你找出来，细心地给雪人穿戴上去的。你会觉得，雪人不只是一堆雪，它是有生命的。你用自己的双手创造了一个跟你很相似的生命。所以，我们喜欢雪人，大概就是因为它不仅是我们的伙伴，而且是我们自己亲手创造出来的心灵伙伴。它的身上，凝聚着我们的想象，我们的快乐和烦恼，甚至还装着只有我们自己才懂的小秘密。

　　我们每个人心里都有一座美丽的堡垒，当你受了委屈，感到伤心、郁闷，不想说话的时候，就会躲进这个堡垒，自己安慰自己，跟自己说话，给自己勇气，给自己动力。这样你就会慢慢恢复，第二天就可以元气满满地去上学，去玩耍。所以这个堡垒是一个很重要的地方。

但是你别忘了，这个堡垒并不只是一个想象的世界，一个藏在你心灵里的孤零零的小房子。实际上，当你画画、跳舞、弹琴、打球、交朋友的时候，你都是在一砖一瓦地建造这个堡垒。

《雪人》讲的就是这样一个建造内心堡垒的故事。书中的主人公叫詹姆斯，他因为说话结巴，在学校里没有朋友。冬天，他大部分时间都待在房间里，望着外面冰天雪地的世界发呆，所以他最喜欢做的事情就是做梦和思考。这两件事，其实都是在他的内心之中建造一个堡

垒，让他能在堡垒里找到温暖，找到说话的伙伴。有一次奶奶来家里串门，晚上她给詹姆斯读了一个关于雪人的故事。从此之后，雪人就变成了詹姆斯内心堡垒里的一个伙伴。詹姆斯每天都在盼着下大雪，因为那样他就可以按照他心里的样子堆一个雪人，让这个冷冰冰的世界充满温暖。当然，后来他真的亲手堆起了一个可爱的雪人，还用手边的水果和蔬菜把雪人打扮得漂漂亮亮的。最后，他还拿了一顶爸爸的旧帽子给雪人戴上。雪人一下子就活了，它带着詹姆斯跑啊跳啊，飞上了天空，带他一起去北极，见到了美丽的极光，还有传说中的圣诞老人。

这个故事里我印象最深的是两个场景。一个是詹姆斯看到雪人孤单地站在雪地里，心里有些难过，就在雪人的脸上画上了一个大大的微笑。这时候，雪人真的笑了起来。在学校里，没有人会对詹姆斯微笑，大家看到他都会很厌烦地走开，但他心里，是多么希望这个世界能充满微笑啊。所以，詹姆斯想让雪人笑起来，开心起来，温暖起来。他想让这个世界不再寒冷，人们不再感到孤独。我想，这也是我们在这个世界上建造内心堡垒的第一步。从每一次微笑开始，从每一件小事开始，慢慢地让整个世界变得温暖和美丽。在故事的最后，雪人治好了詹姆斯的口吃，让他重新爱上了生活，爱上了身边的人，也爱上了这个世界。

还有一个让我感动的场景出现在故事最后。雪人不辞而别，只剩下一堆残雪，还有装饰用的水果、蔬菜和帽子。詹姆斯很伤心，他觉得最好的朋友离开了他，他又孤单一人了，又没有人可以一起说话、玩耍了。这时睿智的奶奶说：下次下雪的时候，你可以再把它堆起来，你并没有失去它。它只是暂时离开了。这大概就是整个故事要告诉我们的一个最重要的道理。当你努力实现自己的梦想时，不是每次都会成功，不会一直顺利，你的朋友会离开你去远方，你辛辛苦苦造起的宫殿也许会倒塌，但是千万别灰心，别放弃，因为你每一次的努力都是珍贵的，都像海浪一样，一次次往前推进。失败了也没关系，只要你心里还有那座堡垒，只要你坚持描画自己的梦想，终有一天你还会见到你的雪人。它还会带着你一起飞翔，飞过天空，飞过城市，飞向北极。

　　我们不妨暂时休息一下，想一想这个有趣又深刻的小故事。你有没有在心里想象你最好的朋友会是什么样子？你有没有想过，在未来的某一天，会在某个角落迎面遇到自己的"雪人"呢？

　　现在我们请出小苏和枚农，一起来读《沉思录》。

　　小苏：枚农，别整天玩游戏，我们一起来读《沉思录》。

　　枚农：好没意思的名字。

　　小苏：先别发牢骚。你先来看看奥勒留这个骑马的雕像，是不是很威风。你知道他为什么会成为一个伟大的哲学家吗？就是因为他有每天思考问题的好习惯。

　　枚农：我每天思考问题，考试能得一百分吗？

　　小苏：肯定不能！但我问问你，你为什么数学总是考不好？为什么上课总是开小差？为什么很小的一件事就能让你发脾气？

枚农：我就是觉得那些数字、加法、乘法，还有应用题什么的，根本进不到我的脑袋里，就好像有什么东西挡着它们。所以，我一上数学课就困了。

小苏：我觉得你这句话说得很有道理。你说那些数学知识进不到你脑袋里，那不正说明你有一个内心的世界吗？那个世界就像一个堡垒，里面装满了你最喜欢的画、游戏、音乐、漫画等，一遇到你不喜欢的数学课，这个堡垒的大门就关了起来。你躲在里面自己跟自己说话，自己跟自己玩。你觉得那个堡垒才是最美好的，在那里你才觉得最开心，因为在那里没人管你，也没人逼你学你不喜欢的东西。

枚农：我上课开小差的时候，就在脑子里想漫画里的情节，自己编故事，编完了，一节课也结束了。

　　小苏：所以，这就是你自己的问题。其实你身边的每个人，无论是你的同学，还是他们的爸爸妈妈，心里都有这样一个堡垒，当他们遇到不喜欢的事情和人时，当他们遇到挫折伤心难过时，都会躲到堡垒里去。所以，有这样一个只属于你自己的心灵堡垒，不是什么不好的事情。但坏处是，你一遇到问题就像只小猫一样躲了进去。

枚农：这不是挺好的吗？如果我喜欢那个地方，我可以一辈子都住在里面。

小苏：那我们先来读读奥勒留的这句话：那摆脱了激情的心灵就是一座堡垒，因为没有什么比这更安全的地方可以使他得到庇护。

枚农：听不懂他在说什么。但我觉得奥勒留跟我想的是一样的，就是内心的堡垒是用来保护我自己的。当我遇到讨厌的数学课时，我就躲进去，它会保护我！

小苏：那我们再一起读读前面的几段，奥勒留说：造这个堡垒的目的，不是为了躲起来，在世界上消失，而是为了让你能够在里面冷静下来，安静下来。当你想发脾气时，你先在里面想想到底是什么让你发这么大的脾气。当你学不进数学时，你也应该先到你的堡垒里转一圈，看看是什么把那扇门堵住了。在你内心的堡垒里，你是主人，你自己说了算，但你也要不断地打扫垃圾、清理道路，否则你的堡垒就会变成垃圾场！

枚农：不行！我要把它装扮得美美的，每天都在里面享受生活！

小苏：所以，是不是每个人都应该先管理好自己内心的堡垒？奥勒留还说：人们是彼此为了对方而存在的，那么教导他们，宽恕他们。真正的快乐是我们的快乐，再小的王国也至少需要两个人。其实，内心的堡垒也是这样，你在心里造了一个这么漂亮的乐园，肯定也希望有人来参观吧？你在那里面拍了一部很棒的动画片，肯定也希望跟很多小朋友一起分享吧？所以，真正的堡垒并不只是在你的心里。有一天你会明白，其实你一直都想让整个世界都变成你梦想中的样子。

第五讲
灵魂的宫殿

希望我们能一起努力，让这个世界有更少的恶，更多的美好。

这个世界为什么会有"恶"

在这一讲我们重点探讨一下"恶"这个很重要的问题。同时我要再介绍西方哲学史上很重要的一位哲学家奥古斯丁。上一讲，我们遇见的哲学家奥勒留是罗马的皇帝。这位奥古斯丁很不一样，他是一位神父。西方的哲学家有各种各样的身份，这也说明，无论你从事什么职业，教师、音乐家、政府官员、商人、IT 技术人员等，都可以在自己的岗位上思考哲学问题。

在进入正题之前，我先来讲三件事情。

首先，介绍中世纪的哲学不等于"传教"。这一点显而易见，但却很容易被误解。确实，中世纪的哲学家都是很虔诚的教徒。但我们在这里并不是要说明他们有多虔诚，也不想证明"上帝的存在"。我们关注的是中世纪哲学家的思维方式，以及他们关心的哲学问题。这个思维方式是普遍的，就像苏格拉底的辩证法，智者派的修辞术，它们都是锻炼思维的良好工具，可以用在日常生活中。另外，如果你翻翻中世纪哲学家的著作，就会发现，他们讨论的很多问题都跟上帝无关，而是与人密切相关。

其次，我要从奥古斯丁的书里选取三个重要的哲学问题来跟你分享、讨论。第一，人是由身体和心灵这两部分组成的，它们之间的关系是什么。第二，人身上有一种宝贵的力量叫自由意，它是怎样的

一种力量，又宝贵在哪里。第三，我想探讨一些沉重的问题，可能你平时很少问，那就是：为什么这个世界上会有坏人，他们为什么会做坏事？为什么有时候他们做了坏事，却不会被惩罚？我们要怎么做，才能让这个世界上的坏人和坏事不断变少，让这个世界更美好，有更多的温暖和爱？

再次，是善和恶的问题。我们要怎样分辨善和恶，会有一个标准吗？善和恶是一个根本性的问题，确实一开始就应该让你认识到，但并不是塞给你一个现成的答案，也不是强加给你一套必须做的规矩，而是要让你认识到这个问题有多么重要，然后激发你直面这个问题的勇气，从小就培养你的正义感、责任感和使命感。

在我们的文化，甚至我们日常生活里，大人们也总是要想尽办法保护好孩子，不让他们纯真的双眼看到这个世界黑暗、邪恶、丑陋的一面。但是为什么呢？作为孩子的你，是怎么思考这个问题的呢？你觉得，大人应该怎么和你谈论恶呢？希望哲学这个纽带能给你带去关于恶的思考，拉近你和大人之间心灵上的距离。

一起思考吧

　　你心目中的"坏人"和"坏事"是什么样的？你还可以进一步想一想：战争是恶的吗？是坏的吗？

一个有"爱"的世界

现在，我们来跟着中世纪的哲学家奥古斯丁一起思考恶的问题。我会重点讲三个内容，先是身体和心灵，然后是三种恶，最后是自由意志和爱。

奥古斯丁的文本，如果你直接读可能会读不懂。所以我把它们改编成两段虚构的对话。第一段对话的主人公是奥古斯丁和小苏。第二段对话的主人公是小苏和枚农，我们看看淘气的枚农这次又有了什么新花样。

小苏：爷爷好！

奥古斯丁：小苏好！我发现你在看《人是什么？》这本书，我有点儿吃惊，你真的看得懂吗？

小苏：我最近在学哲学，很多地方都不太懂，就想自己先补补课。

奥古斯丁：这种主动求知的态度，真不错！那你读了这本书后，知道"人是什么"了吗？

小苏：一开始，我觉得很奇怪，我们每个人不都是"人"吗？还需要问吗？但读着读着我就迷糊了。世界上有那么多人，有男人、女人、大人、小孩，有老人、年轻人，还有中国人、外国人……嗯，书里没写，但我想还有外星人、动漫人物，虽然他们好像不跟我们住在同一个星球上，但他们也应该算是人啊。

奥古斯丁：这么多人，你觉得他们有什么共同点呢？

小苏：爷爷，您这个问题难不倒我。我知道您在考我苏格拉底的"定义法"，就是找到各种各样的事物的普遍特征。

奥古斯丁：真是个聪明的小姑娘！那你得到人的"定义"了吗？

小苏：一开始我真想不出来！世界上的人太多了，我见过的人又太少。所以我直接翻到书的后面，偷看答案啦。书上说：人究竟是什么呢？所有的人都有两个部分，一个部分叫身体，另一个部分叫灵魂。

奥古斯丁：说说你的想法！

小苏：可是我想不通。当我想不通的时候，就喜欢举具体的例

子。这是我们数学老师教的，他说如果一句话听起来很难理解，就可以把这句话跟你最熟悉的生活中的例子结合起来。我就说我自己吧，我最喜欢做的事就是看书，我的理想就是造一座世界上最美丽的城堡，里面放满各种各样的书，然后我就坐在里面整天看书，成为世界上最幸福的公主！

奥古斯丁：可我觉得你不可能一直坐在那里看书！你看久了眼睛就会疼，还会流眼泪。这个时候你就需要休息一会儿，看看窗外的小鸟、绿树、放松一下疲劳的眼睛。

小苏：这个我也想到了！不光是眼睛，坐久了的话，腰腿也会很酸，你也需要起来走一走，跑一跑，做做健身操。

奥古斯丁：所以你看，一节课是四十五分钟，课间总是要休息十分钟对不对？

小苏：您这么一说我就清楚了。看书不仅需要用脑，还需要用眼睛，用身体。所以，当眼睛疼了，身体累了，大脑也就不管用了，需要休息，需要"充电"！

奥古斯丁：所以，人所有的动作是不是都要用到身体和心灵这两个部分呢？缺了哪一个部分你都会寸步难行！

小苏：您这么说是没错，但我觉得，有的时候，好像光用身体就够了，比如我觉得吃饭是一件很浪费时间的事情，因为吃饭的时候我就没办法看书，根本用不上大脑，也就是嘴巴在嚼米饭、在喝汤……

奥古斯丁：真的是这样吗？你再想想，可能吃饭的时候不太费脑，但你每天在那里很辛苦地吃饭，不就是为了给大脑充好电，以便更好地看书，更专心地想问题吗？所以，身体是给心灵做准备工作的。

小苏：就算是吧。可我还是不喜欢吃饭……

奥古斯丁：我懂你的意思。你肯定是觉得心灵比身体更重要，看书、想问题要比吃饭睡觉更好玩。

小苏：不是吗？每天吃完早饭，吃午饭，吃完午饭，吃晚饭，这有什么意思？看书多好玩，书里有那么大的世界，那么多的故事，那么有趣的人物。

奥古斯丁：其实你说得很对。每个人都有两个部分，一个是身体，一个是心灵，它们虽然没有办法被分开，但应该不是同样重要的。

在人身上，可能心灵的追求是更重要、更宝贵、更有趣的；身体呢，应该只是为心灵做准备、做铺垫。一位伟大的哲学家说过：一个灵魂占有一个身体，造成一个人。

小苏：唉，您这么说我真的好开心。下次我爸再逼我吃饭，我就用这句话回他！

奥古斯丁：对于一个人来说，心灵肯定是更重要的，但如果你瞧不起身体，就大错特错了！打个比方，汽车自己不会跑，必须要有个人坐到里面去驾驶才行。身体和心灵的关系，就像汽车和司机的关系。

小苏：那还是开车的人更厉害啊！

奥古斯丁：好，那你让司机从车上下来，然后自己直接步行到目的地，是不是要多花很多时间！所以，汽车虽然只是机器，但它确实是人的好帮手，有了它，人就可以很方便地去很多地方，能节约更多的时间。

小苏：我明白了，爷爷您说得对。是我自己太任性了。身体也像汽车，是心灵的好帮手，它可以帮心灵又快又好地做很多事情，

能够省出很多时间让心灵做它自己想做的事情！所以，身体也很重要，要好好和它相处！

奥古斯丁：说对了！所以你今天回家后，要好好吃饭，好好看书，好好跟爸爸说话。

现在你可以休息一下，跟爸爸妈妈聊一聊身体和心灵的关系，到底哪一个更重要？小苏是一个很重视心灵的孩子，但也有很多孩子喜欢体育和锻炼，那你就不妨从这个角度出发，想一想心灵是不是一定会占有身体呢？

我们进入第二段对话，主题是奥古斯丁关于三种恶的区分。

小苏：我看操场上聚集了好多人，是不是发生了什么事情？

枚农：今天一个高年级的男生打了一个二年级的女生，把她的鼻子打出血了……

小苏：你不觉得他做的是不好的事情吗？他仗着自己力气大，欺负比自己弱小的人，这是不对的，是坏的吧？

枚农：没那么严重吧！我有时候也会拉我们班女生的头发……

小苏：好，那你觉得这个世界上有没有什么事情是你觉得不对的，不好的？

枚农：有很多。就说新冠病毒吧，它一来，我就得待在家里，哪里也不能去！还有，有些感染了这种病毒的人很难受，他们躺在床上，连呼吸都很困难。

小苏：对！所以自然灾害、病毒等都会让你的生活变得很糟糕，甚至会剥夺你的生命。那么，你再想想，为什么会有让人生病的病毒呢？为什么会有洪水这样的自然灾害呢？是因为人类破坏了自然环境吗？

枚农：我以后要成为一个很厉害的科学家，发明一种药，治好各种各样的病，这样所有的人就都可以健康快乐地生活，这个世界上就没有不好的东西了！

小苏：你想得太简单啦。除了自然灾害、生病、死亡之外，还有很多不好的事情是跟大自然没有关系的，是人自己做了错事导致的结果，比如酒后开车酿成的车祸，等等。

枚农：酒后开车的人是坏人！因为他们做事情之前根本没有好好想一想！

小苏：我觉得你说得对！所以这就是第二类不好的事情，第二类恶。那你再想想，还有没有第三类？

枚农：是不是就像操场上那个打女生的男同学？

小苏：对，他凭着力气大，欺负女生。这是不对的。这个男生他明明知道自己的所作所为是不对的，但还是犯了错。

枚农：我懂了，这大概就是第三种恶吧。

读到这里，相信你已经了解了三种恶。也许你心里还在想，有没有别的更坏的事情？我想说，大概没有比第三种恶更不好的了，因为这是明知道错还去做。比如那个男生，他肯定知道不应该欺负女生，但他还是那么做了。他可不管这件事是对还是错，是不是违反学校的纪律，是不是会给那个女生造成身体和心灵上的伤害——她的鼻子可能会被打坏，她可能从此不敢来学校上学……所以，这种明知道错而故意去做的行为，就是很不好的，甚至是最坏的行为。

　　你可能还会想到两个问题。第一是自由意志。这个概念很复杂，简单说，就是每个人都有自由去做他喜欢做的事情。比如，小苏喜欢看书，那你就不能逼她去打篮球。枚农不喜欢英语，那你就不能用蛮力让他天天背单词，而且不背完不许吃饭、不许玩游戏。自由这件事我们后面慢慢讲，在这里，我可以先说一个简单的道理：自由总是和责任连在一起。你喜欢看书，这是你的自由，但你不好好吃饭，不好好锻炼，把身体搞垮了，就是你的问题了，怪不了别人，这是你自己必须承担的责任。第二是惩罚与正义。你肯定会问，如果大家都想清楚了再去做事情，世界上怎么还有那么多的坏人和坏事呢？是不是因为，很多人其实是抱着侥幸的心理，觉得犯了错、做了恶，最后也不会被惩罚。关于这个问题，我没办法给你答案。很多哲学问题，都需要你慢慢去问，慢慢去想。但是我相信，只要有人做了恶，最终一定会受到惩罚。无论怎样，我都希望我们一起努力，让这个世界有更少的恶，更多的美好。

第六讲
我思故我在

人是由身体和心灵两部分组成的，心灵像主人一样统领着身体。

哲学是所有知识的"根"

法国大哲学家笛卡尔有一个著名的命题：我思故我在。这个命题说了一个很简单的道理，人是由身体和心灵两部分组成的，心灵像主人一样统领着身体。

可是，心灵为什么会有这么巨大的力量呢？因为所有人的心灵里都有一个强大的法宝，叫作"思想"。思想这个词听起来很大，但实际上你每天在家、在学校都会做这件事情。比如，你上课认真听讲的时候是在思想，下课跟同学争论问题的时候是在思想，回到家做作业，肯定也是在思想。生活中，你经常听到家长和老师很认真地跟你说："你好好想一想啊！"这说明，"想一想"是一件重要且严肃的事情，应该认真对待。笛卡尔的这个命题其实说的就是这个意思。他想告诉我们，思想是重要的，但思想也是有方法的。学会了思想的方法，就可以更快、更好地解决问题。

接下来，我先介绍一下笛卡尔是谁，然后讲一讲他提出了哪些好用的思想方法。最后，我们再集中谈谈"我思故我在"这个命题，更要好好聊聊"做梦"是怎么回事。

今天，笛卡尔被奉为伟大的哲学家、数学家，他是法国乃至欧洲的骄傲，但笛卡尔的童年很悲惨。让我们开动时间机器，回到四五百年前的法国吧。笛卡尔大概一岁的时候，母亲去世了，父亲抛弃了他。

很多伟大的人的童年其实都很不幸，他们遭受了各种各样的痛苦和打击。但他们都有一颗伟大的心灵，能够经受住打击，发奋图强，成就一番事业。笛卡尔就是这样一位坚强的人。他并没有被厄运击垮，而是在学校里刻苦学习，语文、数学、物理、哲学等各门功课都取得了优异的成绩。而且他还非常爱国，在异国他乡非常自豪地说，"我身上流着法国人的血。"正是凭借着不懈的努力和高尚的品格，笛卡尔后来一步步成为全世界著名的大哲学家。

当然，除了刻苦学习之外，笛卡尔之所以能成为大哲学家，还因为在他四处游历的过程中，见识了不同的民族和风俗，结交了很多非常有智慧的好朋友。你大概听过一句话，"读万卷书，行万里路"。读书是很重要的，但只躲在房间里读书是不够的，还有很多知识需要你走到外面的广阔世界里，去看、去听、去想，去跟别人谈话，去脚踏实地地实现自己的梦想。所以，为什么一放假爸爸妈妈就要带你出去旅行呢？除了放松心情、看美景、吃好吃的之外，其实最重要的一件事就是让你学习知识，了解这个世界有多大。这个世界还有很多有趣的人，有趣的地方，值得你去走一走、看一看。

　　笛卡尔在"行万里路"的时候，结交了很多科学家。当时的欧洲正在经历一场伟大的运动，叫科学革命——科学不仅获得了巨大的发展，也在方方面面改变着当时人们的生活。笛卡尔就生活在这样一个科学革命的时代，在他身边有很多数学家、物理学家、医学家、天文学家等。笛卡尔从他们身上学到了很多有用的科学知识，后来他自己也慢慢成长为一个厉害的科学家。他在数学上有一个伟大的发明——解析几何。你仔细看看小学的数学书，是不是有两部分内容：一部分教你数数、计算，可以叫"算术"；另一部分教你图形，比如三角形、圆形、正方形等，这一部分就叫"几何"。但这两个部分是分开来学的，算术归算术，几何归几何。而天才的笛卡尔有一天突然脑洞大开，他想到为什么不能把这两个部分放在一起呢？为什么不能用算术的方法去学习几何呢？现在你当然还不明白他是怎么做到的，但你可能已经感觉到，哲学家最聪明的地方就是能够看到不同事物之间的联系，把原来没有关系的事情关联在一起。

后来，笛卡尔写了一本书，叫作《论世界》，他把整个世界、整个宇宙都写进了这本书里。大到宇宙天体，小到人体构造，这本书几乎把这个世界上所有东西的规律都解释清楚了，真是让人赞叹！只不过，由于各种不利的原因，笛卡尔在世的时候没办法出版这本书，而且当时他的不少科学发明和哲学思想也遭到了质疑。但他的书对后世产生的影响越来越大，一直到今天，我们还在读他那本哲学书《第一哲学沉思集》。为什么叫"第一哲学"呢？第一就意味着很重要、很关键，要放在最前面。在笛卡尔心目中，哲学就应该放在所有学问的最前面。

你可以想象两个形象：一棵树和一幢楼。先说树。一棵树把根深深地扎在泥土里，一点点地向上生长，笔直粗壮的树干上分出无数的枝丫，枝丫上面有树叶，还会开花结果。我们能不能把各种各样的知识——语文、数学、逻辑、道德、哲学等，比作这样一棵树呢？当然可以，因为笛卡尔就是这样做的。他把当时各门科学的关系画成了一棵树的形状，树根的地方就是哲学。就像树干、树枝和树叶都是从树根处长出来的，人类的各种知识也都是从哲学这个"根"长出来的。所以，哲学是不是应该放在第一的位置呢？先有哲学，然后才有数学、物理学、天文学等的茁壮成长。一棵树要长得高，根就要扎得牢；一棵树要结出丰硕的果实，根就要源源不断地提供养分。所以，哲学很重要，因为它是所有知识的"根"。

再说楼吧。你最好把这幢楼想得高一点儿，越高越好，越宏伟越好，因为我们要把人类的所有知识都装进去，它是最宏伟的高楼大厦。你再想想，造一幢很高的楼，开始最先做的工作是什么呢？是不是打地基？基础打好了，楼就可以一层层地造上去，而且地基越牢固，楼就可以造得越高、越稳。如果把人类的各门知识比作这样一幢高大宏伟的楼宇，那么，哲学就是"地基"。哲学研究透了，这幢大楼才能造得高、造得稳。所以，哲学就应该放在第一位。

现在你知道笛卡尔是多么伟大、聪明的人，也明白为什么他非要把哲学放在第一这个位置上了吧。但我想肯定还有些小朋友不服，会反驳我说：笛卡尔把哲学吹得那么厉害，为什么我们的教科书里没有哲学呢？学校里不教不证明哲学不重要，正相反，笛卡尔说哲学是第一的，那就是说，你学的所有科目里都已经有哲学了。

下面我就用数学来举个例子。你可以体会一下，哲学起到了多么重要的作用。

我们已经知道笛卡尔是一个厉害的数学家，所以他发明的很多哲学思维方法都跟数学有很大的关系。为什么是数学呢？因为它教给我们一个很有用的思维方法，那就是"清楚明白"地看。什么叫"清楚明白"地看呢？道理很简单。哲学是第一的，它是树的根，是大楼的地基。树要长得大，楼要造得高，根基就要很坚实。树和大楼是这样，知识的大厦也是这样。比如你要做一道算术题：17+x=20。你怎么做这道题呢？你可能会说：还能怎么做！拿过来直接做啊！老师说做题就是要又快、又准，一次性完成。这么说没错，但我要问问你，你不是一开始就会做这道题吧？在学会做题之前，你先认识了从1到100的自然数，然后，你学习了简单的加法和减法。再后来，你又学习了十进位的计算方法，逢十就要向前进一位，所以这里个位上的7+3等于10，向前进一位，就变成了20。你觉得这道题没难度吧？没错，但我想讲的不是数学，而是用数学来打比方，告诉你哲学的道理。你在做数学题之前，先学的都是"原理"，原理就是最根本、最基础的东西，比如，数字有哪些，加减怎么做，十进制是怎么回事。原理只有很少的那么几条，但是你用这些原理就可以解出很多题。从学习原理到学会做一道一道的数学题，是不是就像从一个树根长出树干，再生出枝丫、树叶，然后开花结果。或者说，从地基开始，一块块地把砖头垒上去，一层层地造起高楼大厦。

所以，数字、加减法、十进制这些原理就是根，就是地基，你要

把它们牢牢地记在心里，这样你在做数学题的时候就能又快又准确地完成。很多人学不好数学，并不仅仅是因为不用功或者不聪明，而是因为他没把根扎牢，没把地基夯实。如果每做一道题都要重新回想方法，时间不是都浪费掉了？怎么可能考出好成绩呢？

如何把根扎牢，把地基夯实呢？最基本的方法就是把那些基本的原理清楚明白地印在脑海里。就像是把一页书、一个苹果、一个杯子放在很明亮的台灯下面，你就能看得清清楚楚，没有一点模糊的地方。

一起思考吧

人有很多不同的能力，比如感觉、情感、意志等，但在这些能力里，思考好像才是所有能力中的统帅。思考就像是舵手，一点点引导我们走出迷宫，找到一个清楚明白的方向。你找可以跟同学或爸爸妈妈聊一聊，通过思考，我们能做什么？人类还能有哪些不可思议的创造？

做梦的时候，我去了哪里

了解了笛卡尔之后，我要讲讲"我思故我在"讲了一个什么样的哲理。

我们还是从树和楼这两个例子开始吧。树是从根部一点点长起来的，楼是从地基一层层盖起来的。要想种一棵树，一开始你应该做什么呢？这难不倒你，对吧？你一定知道参天大树也是从一粒小小的种子开始的，你要先把这粒小种子埋进土里，浇水、施肥、松土、杀虫，然后你就可以看见嫩绿的小苗从土里钻出来，越长越大，越长越高，渐渐长成比你还高的绿油油的大树！但是，你不会随随便便就把种子埋进土里吧，你要先看看这片土壤是不是适合种树，是不是够肥沃，里面有没有杂质和有害的成分，有没有害虫在土里藏着，等小种子一种下就把它吃掉。所以，在种下小种子之前，先好好检查一下土壤，就是最初的必要步骤了。

种树是这样，建造大楼也是这样。如果你想建造一幢100层的大楼，是不是先要选一块很好的地基才能开始建造呢？如果地基松松垮垮，脚一踩就是一个大坑，还怎么建高楼！所以，检查地基是建造高楼的第一步，地基必须很结实、牢固，没有裂缝、不会塌陷、没有杂质。

怎样检查土壤和地基呢？请开动脑筋回忆一下，笛卡尔说过什么好用又神奇的方法吗？没错，就是"清楚明白"！当你清清楚楚看到合适的土壤、牢靠的地基，你就可以在上面种大树、造大楼了。不过，"清楚明白"这件事，看起来谁都能做到，但仔细想想，好像又没有那么简单！

你想一想，在生活里，你要想看得清楚明白，一般是在什么样的情况下呢？首先，光线要好，如果是阴天或者是晚上，很多东西都模模糊糊的，看不清楚。小时候，有一次我很晚才从学校回家，看到一个同学驼着背在前面走。一开始我觉得很奇怪，我走了好久，他好像一直在那里没动过。因为离得远，我也就没多想。我三步两步冲过去，想给他一个意外的惊喜，结果快到"他"背后的时候才发现，"他"其实只是一段跟小孩子差不多高的枯树桩……

有的时候，光线很好，你也看得清，但你看到的东西还是有问题。比如，你看到你的好朋友从马路的另一头跑过来，这条马路还挺长的，所以她一开始看起来特别小，小到好像能把她攥在手心里。可是，等她跑到你眼前，就跟你一样大了。同一个人，为什么在马路的另一头时显得那么小，到你眼前就一下子变大了呢？

其实很简单，主要是因为你们之间的距离发生了变化。因此，很多时候，你清楚明白看到的东西，也可能不是真的。你可以做一个实验：拿一根筷子，把它插进水里，你会清楚明白地看到筷子神奇地变弯了！这又是怎么回事呢？明明刚才拿在手里还是直的，怎么一进到水里就弯了呢？这就是你每天都喝的水啊，又没被施过什么魔法。所以，清楚明白地看到的，也不一定是真的。

笛卡尔在《第一哲学沉思集》里写过这样一件事：有一天，笛卡尔迷迷糊糊地睡着了，连着做了三个奇怪的梦，他从这些梦里悟出了深奥的道理。如果有兴趣的话，你可以翻翻历史上那些有名的发明家和科学家的故事，你会惊讶地发现，很多伟大的发明据说也都是从一个梦开始的。

笛卡尔悟出的是什么道理呢？你可以脑补一下这个画面：有一位胖胖的、慈祥的老先生，就是笛卡尔，他正裹着厚厚的睡衣，坐在舒服的摇椅里，他面前是烧得旺旺的炉火。这个温馨的场景，是不是让你也开始迷迷糊糊地闭上眼睛开始做梦了呢？你像长出一对翅膀一样，开始向着童话一般的世界飞翔……且慢！笛卡尔可不是要讲童话，因为他非常严肃地向自己提了一个问题：我在这里，坐在火炉边，手里拿着这张纸，这是我自己清楚明白地看到的，但是，亲爱的笛卡尔啊，你告诉我，怎样证明我没睡着，我不是在梦里呢？我确实穿着红色的

睡衣，确实坐在这张棕色的沙发椅上，面前也确实有一个明亮耀眼的火炉，但是，我在梦里也完全可以梦到这一切啊，不是吗？

你仔细想想笛卡尔的问题是不是很可怕？你明明清清楚楚地看到了一本书、一只鸟、一个太阳，但你却完全可能是在梦里！所以你清楚明白地看到的东西，可能都是幻想出来的，是不真实的！你有没有注意到很多电影的片头是一个小男孩坐在弯弯的月亮上，手里拿着一根钓鱼竿，下面会出现一行字"DREAMWORKS"（梦工厂）。"DREAM"

在英文里就是"梦"的意思，一个电影公司为什么会叫"梦工厂"呢？那是因为当你坐在舒服的、软软的椅子上，周围的灯慢慢熄灭，只剩下大银幕还闪亮着，银幕里开始上演各种神奇而又美丽的故事。这一切都很像你在黑夜里，闭起眼睛开始做梦。

所以，坐在电影院里时，你就完全进入电影里的世界了，你不会问自己到底是不是在做梦。但是，电影一结束，灯光亮起来，周围的人都站起来准备离开了，这个时候你可能会跟妈妈说："刚才真的像做梦一样！这个梦好美妙，我不想醒来！"

笛卡尔要提醒你的就是，即使在日常生活里，即使还没到晚上，没到上床睡觉的时间，你也可能迷迷糊糊地开始做梦。你想一想，是不是有时候你听着课，心却飞到外面去了，像一只被放出笼子的小鸟一样满世界乱飞。所以麻烦的是，如果你在看电影，如果你在走神发呆，那么可能你清楚明白地看到的所有东西都是假的，整个世界都是假的！这样一来，我们怎样才能找到一块真正结实的土壤和地基呢？

关于梦，我又要提到伟大的哲学家庄子了。他讲过一个很奇妙的关于梦的故事，叫作《庄周梦蝶》。有一天，庄子躺在树下舒舒服服地睡觉，梦到自己变成了一只蝴蝶在树丛中快乐地飞舞。可醒来后，他就不快乐了，因为他想到了一个很麻烦的哲学问题，他问自己：刚才到底是谁在做梦？是我梦到了蝴蝶，还是蝴蝶梦到了我？这是一个很难回答的问题。读完这一讲，你也可以思考一下，看看能不能给庄子一个满意的回答。

在我看来，《庄周梦蝶》讲了一个很简单的道理：有的时候，我们并不知道自己是在做梦，还在梦里很认真地做各种各样的事情，醒过来以后才恍然大悟，"原来刚才是在做梦"！

我们用什么办法能够把梦和现实区分开呢？能不能拿一把尺子，在梦的世界和真实世界之间画一条清楚明白的线？跨过这条线，我们就从梦里醒来，进入到了清醒的真实世界？笛卡尔告诉我们，这条线是很重要的，因为如果不画这条线，你就不知道你睁着眼睛清楚明白地看到的东西是不是在梦里，如果不能区分梦和现实，你清楚明白地看到的东西也可能是假的，是幻想出来的，甚至是瞎想出来的。如果是这样的话，这些东西就不能被当作树根和地基。如果没有根，智慧树怎么长大？如果没有地基，知识大厦怎么建造？所以，梦和现实之间的这条线，我们必须要画出来，画不出来，后果会很严重。

当然，这种小问题难不倒笛卡尔，他想出了很多精彩的点子来回答这个问题。我用你能懂的话，借用枚农作为小主人公，简单地说一下答案，你也看看自己能不能想出更好的点子。

　　有一天，枚农坐在树下，看着眼前飞来飞去的蝴蝶，开始浮想联翩：蝴蝶，你看你多么开心快乐，可以整天自由自在地飞来飞去，想去哪里就去哪里，想干什么就干什么，不用上学、不用写作业，也不用参加那些讨厌的补习班。不过啊，蝴蝶，我其实也不是那么羡慕你，因为我也可以施一个神奇的魔法，让自己变得跟你一样快乐自由、无忧无虑，那就是闭上眼睛，开始做梦！有时候，上课太无聊了，老师的声音就像是催眠的音乐，课本上的那些字都在歪歪扭扭地跳舞。这时候，我的眼皮就抬不起来了，我开始幸福地做梦。我梦到自己是一只无忧无虑的蝴蝶，飞出教室、飞过操场，迎着太阳，在花花绿绿的树和花之间快乐地游荡。我身边有凉爽的风，还有各种彩色的鸟跟我一起飞。不过，就在我飞的时候，突然听到语文老师点名的声音："枚农！你来读一下第二课的最后一段！"我一下子就醒了，刚才的一切都没了，没有风、没有鸟，我像是被重重地摔到了书桌上。后来我就明白了一件事，梦里的很多事情都是现实里没办法实现的，所以我们才会到梦里去实现，比如飞翔，比如变成蝴蝶或小鸟。

看完上面这段话，我们是不是能够在梦和现实之间画一条线，也能理解"清楚明白"的本质了。

第七讲
命运是什么

命运跟自由并不是对立、冲突的，命运是提升心灵自由度的一种积极的力量。

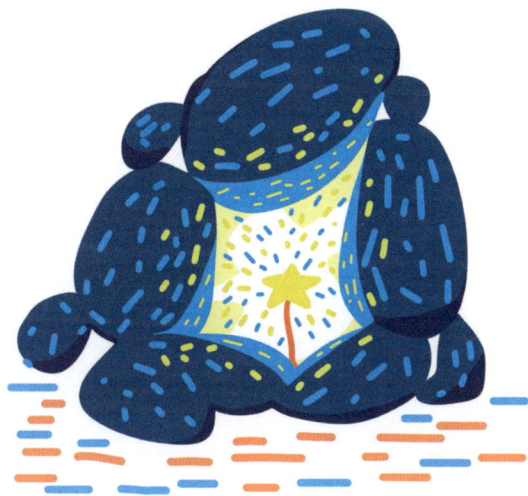

用几何学建造哲学大厦

　　荷兰哲学家斯宾诺莎的哲学非常难理解，但我还是想讲一讲。原因有两个：首先，不谈具体的哲学内容，斯宾诺莎这个人本身就非常有趣，值得你了解；其次，斯宾诺莎的哲学体系看起来非常抽象，但它最终的落脚点仍然是我们生活里的具体问题，尤其是自由和命运这个命题，非常值得你和爸爸妈妈好好聊聊。比如，人到底能不能随心所欲？能不能想做什么就做什么？你或许跟爸爸妈妈说过"为什么你们总要管我"，这对于你来说是一个很关键的问题。但对于成年人来说，可能很多时候自由并不是一个首先要考虑的问题，因为他们大多已经有稳定的工作和生活，有明确的努力目标，有比较独立的人格，所以一般说来，他们只要踏实认真地去做事、去生活就行了，通常不会有很强烈的被束缚，甚至被压抑的感觉。但作为孩子的你就不一样了，你的思想非常活跃，人格却还处在一个不断构建的过程中，你还需要不断地试错和调整，在一次次的碰壁和挫折中，才能知道自己到底是谁，自己到底想要什么。

　　这样看来，自由和命运这个命题对于你来说就更关键、更迫切。这个命题，我在后面还会不断涉及，但会更多地从"自由"这个方面来谈，尤其是法国哲学家卢梭的相关理论。斯宾诺莎对这个命题给出的回答很特别，他是从必然性这方面来谈的，发人深思。为什么人们

都喜欢谈自由而不是命运呢？大概是因为人们都觉得，孩子就应该是无忧无虑、不受束缚的，不能被各种条条框框限制住。

我们一起来读一读斯宾诺莎，你就会有比较清楚明白的印象：命运跟自由并不是对立、冲突的，命运是提升心灵自由度的一种积极的力量。当然，我不是说斯宾诺莎一定对，只是希望给你增加一个看待世界和生活的视角，让你能进一步打开心胸，用更开放的方式去思索问题。这或许才是哲学在现在的教育中能起到的最积极的作用。

斯宾诺莎就像任性的孩子，偏要按照自己的方式营造一个复杂精致的思想宫殿。你要想走进去，就必须按照他预先规定好的路线，一步一步来。但这样就给他的读者增加了巨大的难度，所以很多人读两页就打退堂鼓了。我尝试用对话或者故事的方式来给你讲讲。

斯宾诺莎住在荷兰，他的生活很平静，但一直不快乐。因为他非常有个性，很多时候他的想法跟别人的不一样。你现在已经认识了很多哲学家，像苏格拉底、笛卡尔等，他们都是非常有个性的，因为哲学家就是要"语不惊人死不休"，就是要有一般人想不出的奇思妙想。但是斯宾诺莎的个性不是一般的强，他有一种追求真理的坚定信心和勇气，他认为对的，就会一步步地去思考、去论证，不管别人是不是理解和认同。他先是因为坚持走自己的路被教会驱逐，然后，他又明确拒绝了大学的邀请，因为他不想当一个规规矩矩的大学教授。斯宾诺莎这样一种独立自由的品格，让无数后来人，也包括我，非常敬佩。你是不是也是这样的人？认准了一个目标，就会排除各种各样的障碍和困难，一定要去实现它？比如，你长大想当科学家，于是你从现在开始就认真读书，发奋努力。但你也别忘了，在你成为科学家的道路上，还会有各种各样想象不到的挫折和阻碍，这时候就需要你有很强大的力量，去越过一个个障碍，一步步地往前走。就像斯宾诺莎一样，向着一个远大的目标坚定地前进。

但是，斯宾诺莎遭遇到的困难要比平常人大得多。因为教会的警告和驱逐，他遭到了暗杀，并被迫离开家乡，失去了稳定的工作。但这些对他来说都不算什么，无论逃到哪里，无论生活多么艰辛，他还是那么坚定、安静地研究自己的哲学。后来，斯宾诺莎只能靠磨镜片来维持生计。你想想，这个工作肯定赚不了什么钱，而且磨镜片的时候会产生很多粉尘，对身体造成损害。但斯宾诺莎坚持了下来。别人的冷眼、生活的贫穷，丝毫没有动摇他追求真理的脚步。你可以在网上搜一下斯宾诺莎的名字，应该能找到他的一张画像，看起来黑黑瘦瘦的，一看就是生活很艰难的样子。但在他的脸上，并没有很难过的表情，而是有一种智慧的光芒，那双黑色的眼睛非常清澈透亮。

关于斯宾诺莎的一生，还有很多传奇，这里就不多说了。你只要记住，他写过一本很难懂的书《伦理学》就可以了。我没法在这里仔细讲这本书，因为它是按照几何学体系来写的。

为什么斯宾诺莎要用几何学的方式来写哲学书呢？这倒不是因为他的几何学得有多好，而是因为几何学对于西方哲学来说很重要，也很关键。之前我提到过一个典故，柏拉图在他的学园门口竖了一块醒目的牌子，上面写着"不懂几何学者，禁止入内"，也就是说，先学了几何学才能进入学园跟着大师一起学习哲学，学几何是为学哲学做准备的。

　　你现在已经知道一些哲学家的名字了，甚至能够解释和讨论一些哲学问题了，比如"人是万物的尺度"。那你可能会想，你学过的哲学跟几何学好像根本不沾边啊？哲学家就是讨论一些大道理，运用概念、判断和推理辩来辩去，但是几何学家明显不一样。比如最有名的一个几何学定理"勾股定理"，它讲的是一个直角三角形的两条直角边的平方加在一起，等于斜边的平方。几何学家研究的这些问题，好像跟哲学没什么关系。

　　我先来给你补补课。关于几何学和哲学之间的关系，在西方哲学里有两个重要的背景。

　　第一个背景和古希腊伟大的哲学家、数学家毕达哥拉斯有关。毕达哥拉斯是一个非常有趣的人，热爱哲学、数学、几何学，跟志同道合的人生活在一起。他们的组织纪律严明，生活中要遵守很多清规戒律，比如，每天应该吃什么东西，什么时候应该做什么，这些都有明确的规定，是不是有点像一支管理严格的足球队？没错，毕达哥拉斯就像是数学家和哲学家里的"足球队队长"。不过，他最有名的一个哲学命题是"数是万物的本原"。古希腊有哲学家说过"水是万物的本原""火是万物的本原",这些还好理解一点。因为万事万物离开水都不能活,所以说水是世界上最重要的东西,可能还是有一点道理的。但数跟水和火都不一样,它不是实实在在的,它是看不见摸不着的。不信的话,你想想数字 1 在世界上的什么地方?有的人会说:"1 就在我这里!你看,我伸出一根手指就是 1。按照笛卡尔的标准,这就是清楚明白。"但这是一根手指,并不是 1 这个数字吧?因为,你可以伸出一根手指来表示 1,还可以用一根筷子来表示 1,用一块积木来表示 1,或者随便用什么东西来表示 1,甚至用铅笔在纸上写下 1。我想问一问你,到底哪一个才是真正的 1 呢?

你肯定已经想出各种机智的点子来回答我的问题了。不过我们还是先了解一下毕达哥拉斯的回答。他说数字跟积木、筷子、桌子、椅子都不一样,数字是人想出来的东西,但不是胡思乱想。我们要用头脑里想出来的这些数字、图形更好地观察和研究世界,甚至是管理和改造世界。这个世界上有那么多事物,人、动物、植物、自然风景、

城市建筑等，而且每种事物都有区别于其他事物的不一样的特征。如果你是哲学家或科学家，你觉得怎样才能找到一种最简单有效的方法去研究这个世界呢？这里要提到笛卡尔的"化整为零法"了。我想数学老师一定也教过你。如果一道题太复杂了，你就先把它分解成几个简单的部分，然后各个击破。对于世界也是这样，那么复杂的世界，从哪里入手研究呢？你可以把这个世界分解成最简单的数字和图形，因为再复杂的东西，都可以用数字、用加减乘除来计算，都可以分解成基本的图形。

这就是毕达哥拉斯的意思。要研究世界，就先把世界分解成数字和图形这些基本的单位，再从这些最基本的单位出发去把握世界的基本规律。所以，你在学习数学的时候千万别觉得烦和累，因为从古希腊时期开始，数学就是一门伟大的学问，它是一种强大的方法，能够让人类去把握世界的普遍规律。数字虽然不是实际存在的，是人类的发明，但这个发明能让我们认识世界，更好地去利用世界上的各种资源，为人类自身服务。

第二个背景是几何学自己独特的体系。几何学不仅是把那些图形列出来，而是有一个非常严密的体系。最古老的几何学体系是"欧几里得几何学"。欧几里得是古希腊人，在16世纪意大利画家拉斐尔的著名壁画《雅典学派》里就能找到他。他写的最伟大的一本书是《几何原本》，我们现在小学和中学教的几何学仍然是以这本书为基础的。《几何原本》的结构是从定理开始，然后到公设，再到命题。这些词

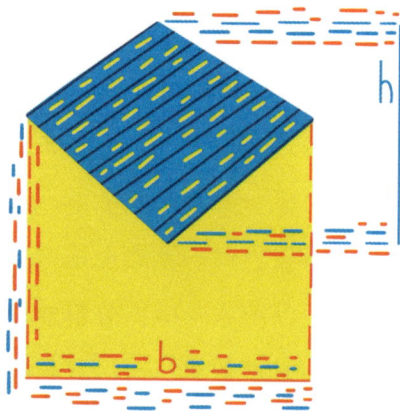

你现在可能还不懂，但你要明白，几何学是一个很有效的建造知识大厦的方法，所以斯宾诺莎也用这个方法来构建他的哲学体系。

一起思考吧

你对命运有自己的想法吗？不妨回想一下，你读过的书、看过的漫画和电影里，是不是也有很多跟命运相关的内容？你可以挑一部印象最深刻的电影，和身边的人分享交流一下。你们可以进一步思考，命运是什么，它是一根挣脱不了的锁链，还是一条不断向前的道路，或者你自己还有关于命运的不同见解，都可以聊一聊。

我为什么不能像鸟儿一样自由飞翔

　　我继续讲解荷兰孤独哲人斯宾诺莎的思想，尤其是他关于命运和自由的深刻思索。我把他在《伦理学》中的证明改写成故事，这样应该会更形象生动一些。我先用一个故事来聊聊命运是怎么回事儿，命运一定是束缚吗？我这个故事以童话《飞吧！红头发》为蓝本，原文作者是奥地利儿童文学作家克里斯蒂娜·涅斯特林格。我借用小苏来当小主人公。

　　很久很久以前，在一处美丽的江南水乡，生活着贫穷但快乐的一家人。这家有个女孩叫小苏，她从小就聪明伶俐，一双大大的眼睛好像会说话。很不幸的是，小苏的爸爸妈妈在她很小的时候就离开了，一直没回来。所以，小苏就跟奶奶两个人相依为命。奶奶年纪大了，

身体又不好，所以每天挑水、做饭、洗衣服的事就落到了小苏身上。奶奶夸她是个懂事又勤劳的好姑娘。

不过每次安静下来的时候，小苏常常会想起爸爸妈妈，他们到底去哪里了呢？是去工作吗？还是跑到很远的地方去旅行了？他们真的好狠心，怎么能扔下我一个人不管呢！想着想着，小苏的眼泪就流下来了。在伤心的时候，小苏就会用画画和读书来打发时间，安慰自己。不知道为什么，她总是反反复复地画同一个场景：傍晚时分，华灯初上，她坐在一只摇摇晃晃的小船上，看着水里闪闪烁烁的光影，漂向河道的深处。

小苏很喜欢读书，爸爸妈妈给她留下了满满一书架的书，有故事书、图画书，还有不少历史书，看都看不过来。不过，这里面有一本书小苏特别喜欢，叫作《伦理学》。虽然她几乎读不懂书里的任何一句话，但她喜欢这本书在她手里时那种厚重的感觉，也喜欢摸一摸书页。书里那个叫"斯宾诺莎"的人的照片，看上去好忧郁，他是不是也有一段伤心的童年记忆？书中有数字序号和说明，还有"公理""定理""命题"这几大结构，就像是一个结构精致的房屋，有地基、大门、窗户、飞檐、屋顶，还有各种奇特的装饰。

　　小苏在学校里过得一直都不开心。每次放学，别的小朋友都有爸爸妈妈来接，然后一家人有说有笑地往家走，可小苏只能一个人背着

大书包沿着河边慢慢地走回家。有时候，她就坐在河边的石阶上，望着河里的影子，想着那些稀奇古怪的问题，一坐就是一两个小时，直到太阳落山。

小苏不太爱说话，跟人说话的时候结结巴巴的，还会害羞脸红。她上小学第一天做自我介绍的时候，紧张得连话都说不出来，低着头在那里傻站着。班上的同学给她起了一个绰号"小哑巴"。每天上课的时候，大家都会等着老师叫小苏回答问题，听着她结结巴巴地读课文，大家就会哄堂大笑，一起叫她"小哑巴，小哑巴"。放学后，有些淘气的孩子会说："小哑巴，你的爸爸妈妈呢？他们不管你吗？是不是因为你不会说话，哈哈哈！"

每天都生活在大家的嘲笑之中，小苏又怎么会快乐呢！她一个人坐在河边的时候会这样安慰自己：也许这就是命运吧。命运是什么呢？就是自己没办法改变的东西，就是一生下来就降临在自己身上的东西。对于命运，是没办法问为什么的，也没有什么公平不公平，因为你没办法去反抗命运。奶奶也常常说："这就是命啊！人要认命！"也

许奶奶说的是对的吧。有一次，她在《伦理学》这本书里看到一句话，模模糊糊地感觉是在讲命运：在事物的本性中没有什么可以被承认为偶然的，而是一切都被神的本性的必然性所决定，从而按照一定方式存在和发生作用。她虽然读不懂，但她反复读，还在这个句子上用笔画上粗粗的红线。她隐隐约约地感觉到，斯宾诺莎叔叔一定是在告诉她一个很重要的道理。说来也奇怪，读着这个句子，慢慢地，小苏心里也就不那么伤心难过了。

不过，小苏虽然不擅长说话，但她有一副无比美妙的歌喉。一个偶然的机会，周围的人发现了她这个惊人的天赋。那是在有一年的水灯节，潮水一般的游客像往年一样涌进小苏的村子，大家沿着河边散步，喝着家酿的米酒，吃着新鲜的河鱼，到处都是玩闹嬉笑的孩子。但小苏感到格外的孤独。平日里人少的时候，她可以安静地坐在河边翻翻书，想想问题。这一天直到傍晚，她才找到一个僻静的角落坐下来。眼前的河水跟白天不一样了，水中倒映着闪烁的灯光，河面上漂着各种可爱形状的水灯，有兔子灯、老鼠灯、猫咪灯，还有又大又长的火龙灯，还有一个灯的形状，好像小苏每天抱着入睡的泰迪熊。小苏慢慢开心起来，她不知不觉地唱起歌来。歌声从安静的小角落飘开，飘过河水，飘过街道，传到每个人的耳朵里！所有人都被歌声吸引，走路的停下了脚步，喝酒的放下了杯子，整个世界的时间好像都停住了。

小苏一直唱啊唱，唱出了自己的心声，唱出了所有伤心的回忆，甚至还编了一首小曲，把斯宾诺莎也唱了进去，因为他是小苏在这个世界上感觉最亲近的人。她就这样唱着，所有的人也就这样听着，大家不知不觉地朝歌声的方向聚拢过来。有的人提着灯笼，有的人用手机照明，突然间小苏觉得自己被无数的灯光照亮了。那些明亮的白色光线汇聚在她身上，她一下子紧张起来。她感觉有人在那里偷偷地说："哇！小哑巴会唱歌！太阳打西边出来了！"

学校里的噩梦一下子都回来了，小苏再也忍不住眼里的泪水，拼命地冲出人群，跑回家，把大门紧紧地锁住，还用被子把自己紧紧地裹起来，一直哭到迷迷糊糊地睡着。

唱歌这个才艺并没有让小苏真正快乐起来，也没有让身边的同学喜欢上她。因为以后每天上课的时候，他们又多了一个取笑她的说法："小哑巴会唱歌！小哑巴会唱歌！你不会读课文，就唱一遍课文吧，哈哈哈！"

这样的日子又过了不知多久。有一天，不知怎么回事，她好像能读懂斯宾诺莎的一些话了。更奇妙的是，她翻到书的后面，发现书皮里还夹着一页纸，随手抽出来一看，那竟然是妈妈写给她的一封信！

小苏，你看到这封信的时候，说明你已经开始有些明白这本书的内容了，你已经找到了我们，也找到了自己。爸爸妈妈很对不起你，在你那么小的时候就离开了你，真的要向你道歉！但是请先听一听我们真实的想法吧！

妈妈从小也跟你一样，很害羞，不太会讲话，所以一直被身边的孩子嘲笑和欺负。我一个朋友都没有，只能抱着泰迪熊一个人发呆。对，就是你枕边的那一只！我的奶奶劝我说，这些都是命，有的人是富贵命，有的人是可怜命，是改变不了的，是老天在我生下来的时候就安排好的。所以，就忍了吧。听着听着，我也觉得有道理，自己的生命也就是这样了吧，不用努力了，努力也没用，命是改变

不了的。

直到有一天，我在学校旁边的书店里遇到了你爸爸。他戴着厚厚的大眼镜，在很认真地读一本书。我不小心撞到了他，在跟他道歉的时候，我看到了他手里的那本书的书名——《伦理学》，封面上印着一个神情忧郁的人。后来我们就成了好朋友，一起读书，一起沿着河边散步。再后来，我们就成了夫妻，幸福地生活在一起，再后来又有了你。读书让我们发现了自己，也发现了彼此。所以，我们决定一起去远方的城市做研究，好好探索各种有趣又深刻的哲学思想。

有一天傍晚，当我和你爸爸在一起读书的时候，突然读到斯宾诺莎的一句话：当心灵把一切事物都理解为必然的时候，它就有更大的力量克服情感而越少受其束缚。刚开始的时候我们读不懂，就一遍遍地慢慢读，然后一起讨论这句话的意思。

最后我们好像有点明白了，原来它讲的是关于命运的道理，但又跟我奶奶讲的不太一样。奶奶说，命运就是安排好了的情节，而我们每个人呢，就像是电影里的演员，只要照着剧本去演就可以了。但斯宾诺莎说的不太一样。他说的命运完全是另外一种样子！它不是一座监狱，而是一条道路，你能清楚地看到这条道路在眼前蜿蜒地展开，但你没办法看到这条路到底通向哪里。因为它看上去正向着远方无穷无尽地延伸，你也没办法像鸟儿一样飞起来，只能在地上沿着这条路一步步向前走。但每往前走一步，你就能更清楚地看到一点儿未来的方向，也能更坚定地继续走下去。

小苏你明白了吗？这就是命运啊！你改变不了，没错，但它是你人生的指引，而不是人生的枷锁。我和你爸爸就是这样，明白了这个道理，所以决定沿着这条智慧的道路，向着远方一步步走下去。在信的背面有一张地图，还有一张船票和一把钥匙，你要是准备好了，就上路吧！爸爸妈妈在这里等着你！

　　故事到这里就结束了，希望你能喜欢，也希望你能从故事里悟出关于命运的哲理！

第八讲
童年和哲学

　　哲学可以让我们从小的事物上升到大的思考，它就像一条道路，引领着我们往前走。

追问整个世界最根本的原因

读到这一讲，这本书就要结束了，我们简单复习一下。在这本书中，我们从西方哲学家那里学到了很多知识，但基本上都在回答一个很重要的问题：我是谁？苏格拉底说的"认识你自己"，普罗塔戈拉说的"人是万物的尺度"，奥勒留说的"内心的堡垒"，奥古斯丁说的"灵魂的宫殿"，笛卡尔说的"我思故我在"，斯宾诺莎说的"自然中没有任何偶然的东西"，这些其实都是从不同的角度来告诉我们，自我是什么，自我的本性是什么，通过什么样的道路可以接近、探索自我。

上一讲我讲了一个关于命运的故事，相信你通过这个故事了解了大哲学家斯宾诺莎的重要思想。这一讲我们继续讲故事，一个具有太空背景的科幻故事。但我们不只是讨论某一个哲学家的思想，而是要聊聊根本的问题：什么是童年？童年跟哲学之间有什么关系？或者说，哲学式的童年有几种不一样的形态？

答案当然是多种多样的。我想引用 20 世纪法国哲学家德勒兹提出来的一句话：儿童是一种形而上学的存在。

首先，这句话把儿童和形而上学关联在了一起。形而上学是"metaphysics"的汉语翻译，这个翻译是有根据的，它来自中国古代的一本书，叫《周易》，书中有一句话：形而上者谓之道，形而下者谓之器。这里有两组词："形而上"对应"形而下"，"道"对应"器"。

我来举一个简单的例子。有一盏台灯，它是圆形的、白色的，上面还有几个按钮，可以调节亮度和颜色。这盏台灯就是一个"器"，也就是一个工具，你可以用它实现一个目的。从一个小小的台灯，一件小小的"器"，我们可以引申出去想很多大问题。发明台灯的目的是什么？为了照明。照明的目的是什么？为了给人类的生活带来方便。人类的生活获得了方便以后，大家可以做更多的事情，也有更多的时间做自己想做、喜欢做的事情，这样我们的生活就会更幸福，大家也就可以更和谐、和平地生活在一起。这些大问题、大思考其实就是"道"。我们从一个台灯，一点点追问到人类、生活、世界。这就是从"器"到"道"的过程。所以，"器"就是具体的人或者物，"道"就是这个世界最根本的那些规律。哲学之所以可以叫形而上学，就是因为它可以让我们从小的事物上升到大的思考，它就像一条道路，引领着我们往前走。

但我要提醒你的是，这不完全是形而上学在西方哲学中的意思。实际上，这个词最早是由另一位伟大的古希腊哲学家亚里士多德提出来的。在这里，我再捋一遍一个基础知识，古希腊有三位伟大的哲学家：苏格拉底、柏拉图、亚里士多德。他们的关系是怎样的呢？苏格拉底是柏拉图的老师，柏拉图是亚里士多德的老师。这么看起来，亚里士多德的辈分是最低的了，但他的成就和贡献很大。今天我们学的很多自然科学知识，比如物理学、生物学、天文学，最早都是他发明的。

亚里士多德说的形而上学是什么意思呢？字面上的意思就是"在

物理学之后"。物理学研究万事万物运动的原因，比如，你一扭台灯的按钮，它就亮了，再扭几圈，它就变得更亮了。我想问问你，台灯会亮的原因是什么呢？有的小朋友马上就会说：因为有电！没错，是电让灯亮起来。

电是灯亮的原因，也是很多别的现象的原因，比如电脑、电饭锅、电磁炉这些家用电器，还有电动牙刷、电动汽车、电子图书，等等。电很伟大，但电是什么呢？好奇的你可能还想继续问下去，电又是从哪里来的呢？电并不完全是人类发明的，下雨的时候你会看到闪电划过天空，闪电也是电。说不定家里的老人会告诉你，闪电是雷公和雨婆一起发明的，可这是神话。现在天上经常有飞机飞来飞去，可是根本没人真的见过雷公、雨婆。所以物理学家们要做各种各样的实验，研究电是怎么在自然界里产生的，人类又能用电做些什么。物理学家研究的就是电的原因。

这样一步步问下去，好像没有尽头。好奇的你肯定还想问一些问题：人是从哪里来的？人类产生的原因是什么？宇宙是从哪里开始的？宇宙产生的原因是什么？这些问题物理学家好像也回答不了，这时候就需要哲学家了，因为这些根本的问题就是形而上学的问题。形而上

学，就是追问整个世界最根本的原因。

看到这里，你可能越来越迷糊了，形而上学是道，是最根本的原因，但是这些跟儿童有什么关系？德勒兹为什么非要把儿童跟形而上学扯到一起呢？简单来说，那是因为，在你们身上，我们也能找到关于大问题的"道"，在童年那里，我们也能发现世界最根本的原因。这么说起来，儿童和童年很了不起，因为你们看上去虽然懵懵懂懂，童年也好像跟严肃的思考扯不上任何关系，但德勒兹就是要提醒我们，这些观点都是错的。儿童和童年就像一面镜子，能够让我们更好地认识我们是谁，生命的本质是什么，世界的法则又是什么。

这些大问题都是没办法直接讲明白的。所以我就写了一个科幻故事，来帮助你理解童年和哲学之间的三种关系。我把西方哲学对待儿童的三种不同视角做了区分：儿童作为教化的对象，儿童作为规训或惩罚的对象，儿童作为人的自然本性。我虚构了三个不同的星球，在这三个星球上，儿童和童年分别展现出三种不一样的形态。除了小苏和枚农，还需要创造第三个人物——一个叫小德的男孩。下面，我介绍一下这三个星球的具体情况。

第一个星球最接近地球的环境，可以把它叫作"类地星球"，也就是类似地球的星球。这个星球的文明程度相当高，而且特别重视对孩子的教育和培养，他们有知识性教育，有人文教育，有思想道德教育等，除了这些教育之外，也有各种体育训练。在类地星球，儿童一开始就被当作懵懵懂懂的小生灵，无论是智力还是体力都很不健全，需要由有智慧的大人来教育、引导他们，一点点地开发他们的潜力。

因此，在类地星球上，童年是一个不断学习的阶段。我们的三个小主人公里，你觉得谁最像类地星球的孩子呢？没错，当然是小苏了！她温柔和善、知书达理、尊敬长辈、热情待人，还很喜欢读书，她就是类地星球的模范孩子。其实，在类地星球，绝大多数的孩子都跟小苏很像。如果你坐飞船去太空旅行，来到这个美丽安静和平的地方，就会发现这里的每个人都在认真地做事情，而且可能手里都拿着一本书，不管走到哪里都会抓紧时间读书。

第二个星球就大不一样了。这里的人脾气很大，我们就叫它"火爆星球"吧。这个星球上的人觉得学习这件事不是那么重要，不管发生了什么事都喜欢用拳头来解决问题，无论是大人还是孩子都这样。孩子们为了抢一块蛋糕会彼此撕破对方的衣服，大人就更不得了了，发生小口角就会拳脚相加，遇到大争端可就要发动战争了。所以，在火爆星球，最重要的能力是什么呢？那就是体力！人们觉得学习知识没有用，不如从小就开始锻炼身体。而且，别的产业都不重要，唯一重要的就是军事产业。在这个星球上，无论你走到哪里，都会看到大大小小的工厂，没日没夜地生产武器。小工厂生产刀枪，大工厂生产坦克、战斗机和军舰。如果你去太空旅行，千万别去火爆星球，会有生命危险！这里的人都觉得，孩子生下来就是一头粗鲁的小动物，只能用暴力才能让他们乖乖听话。所以，童年对应的就是"棍棒之下出孝子"。不过，火爆星球虽然这么火爆，但因为他们的生育力还挺强的，所以到现在为止还没灭亡。那么，脾气同样火爆的枚农肯定就是火爆星球的优秀公民了。他跟我说，他最大的理想就是成为一名威武的将军，然后去征服别的星球……

最后一个星球很特别，也很可爱，是"自然星球"。这个星球最奇特的地方是，它没有大城市，也没有大工厂，甚至连台灯这样的发明也没有。因为所有人都觉得，科学、发明和技术这些东西都是没有意义的。为什么需要电灯？日出而作，日落而息不就行了吗？太阳光就是最好的照明，当太阳落山没有光了，就应该安心去睡觉休息。人类所有的生活都应该跟自然规律保持一致。不过，这并不是说这里是一个野蛮落后的地方。这个星球上青山绿水，所有的房子都是小小的，所有的道路都是弯弯曲曲的。居民们不滥用资源，与大自然非常和谐地相处。在这个星球，知识和武器都是没有用处的。孩子们从小只学习一件事情，那就是怎样按照自然的节奏去生活，挑水砍柴、种庄稼、放羊放牛等。他们也写故事、画画，但都是在歌颂自然，最有名的一首诗叫作《大地母亲之歌》。从童年到成年的过程，就像是一粒种子种到土里，慢慢发芽开花结果。小德就是这个星球上一个可爱的男孩，他最好的朋友是一只叽叽喳喳的画眉鸟，他最喜欢的事情是唱歌和跳舞。

然而，有一天，一场战争在三个星球之间爆发了，我们这三位小主人公的命运如何呢？

一起思考吧

你喜欢哪个星球，哪种童年的生活方式呢？你会怎样说服别人同意你的观点和立场呢？你还能想象出不一样的星球和童年吗？你理想和梦想中的童年是什么样子的？

你的哲学星球

我会把一些抽象、枯燥的哲学知识编进故事里。你会不会喜欢这个故事呢，请继续往下看吧。

类地星球、火爆星球、自然星球之间离得很远，你知道"光年"这个词吧？光年就是光在一年中所走过的距离。在宇宙中，距离是用光年这个单位来计算的。当然，星际旅行的飞船飞得很快，但从一个星球到另外一个星球，仍然需要很长时间。坐飞船从类地星球到火爆星球大概要半光年的时间，到自然星球就更久了，所以它们相互之间通过信息网络来沟通。不过，还是有人很喜欢太空旅行，枚农一家就是这样。这也很容易理解，因为类地星球的文明很发达，那里的人一般都不太喜欢花时间跑到别的地方去，而且孩子们从小就开启了火热的学习模式，从早到晚都对着书本或者屏幕，哪儿有时间和心思去别的星球逛逛呢？自然星球的文明虽然不太发达，但是那里的人们都是自给自足，生活很快乐，根本没有离开家园的念头。这样说起来，就只有火爆星球的人总是跃跃欲试地想到别的星球转转，因为他们的星球实在很无趣，还很危险，到处在打仗。而且，火爆星球的人有很强烈的征服欲望，总想把整个宇宙抓在自己的手里，"让整个宇宙都火爆起来"就是他们的一句口头禅。

枚农一家人历经千辛万苦，花了大半年的时间终于来到了类地星

球。在飞船上，枚农除了吃饭睡觉，每天都没什么事情可做，于是他早上一起床就锻炼身体，绕着飞船的大厅跑几十圈，然后吃健康早餐，接着就连接网络，进行各种在线训练，搏击、跆拳道、散打、武术……下午休息一段时间之后继续锻炼身体。枚农会不会觉得无聊和孤单呢，说实话是有点儿！最难熬的就是每天晚上睡觉之前，身体已经很疲惫了，脑子里也空荡荡的，他只能盯着飞船外黑漆漆的太空发呆，怀里紧紧抱着他最亲密的玩具——一只毛茸茸的兔子。

到了类地星球之后，全家人都很失望，因为那里的所有人都在匆匆忙忙地学习和工作，而且整个星球都没有什么自然风景，到处是冷冰冰的摩天大楼，还有在半空飘来飘去的飞行器。类地星球上最多的就是博物馆、图书馆和自习室。枚农在博物馆里转了一圈，直打哈欠，因为里面连一件能拿起来玩的武器都没有，所有的屏幕上都在循环播放各种科普教育的视频。枚农太无聊了，就躺在休息区的沙发上睡着了，梦里他回到了自己的星球，开上了最新式的战斗机，跟哥哥姐姐们一起抗击邻国的侵略。

一觉醒来，天已经黑了，整个博物馆空空荡荡的，爸爸妈妈和哥哥姐姐都不见了！枚农身边都是银色的机器人，还有巨大的恐龙和鲸鱼标本，他一下子觉得有点儿害怕。他战战兢兢地摸索着在博物馆里走，随手抓过身边的机器人手里的一个拖把当武器，一边保护自己，一边壮着胆子往外冲！一路上，他看到黑暗中有各种怪物向他冲过来，那些标本好像在晚上都活过来了。但枚农真的很勇敢，他用拖把跟它们战斗。当然，你也想象得到，一路上的玻璃橱窗、陈列品，还有很多珍贵的标本都被他砸得稀巴烂。顿时警铃大作，枚农被晃眼的灯光照亮了。一些穿制服的人把枚农带进一间狭小的房间，对他进行审问。这些穿制服的人看上去很威严，但他们说的话枚农一句也听不懂。枚农开始大喊大叫，用蛮力挣扎。

审问枚农的视频不知怎么被传到了网络上，就像炸弹一样，让本来平静的宇宙炸开了锅！火爆星球的政治家们不干了，他们强烈要求类地星球做出解释，为什么要虐待一个无辜的孩子！"你们不是最文明的世界吗？怎么能做出我们火爆人也不齿的事呢？"接下来这个故事就进入最高潮的部分了。三个星球开始了一场关于儿童和教育的哲学对话。

先是类地星球的总统在宇宙在线网络上发表了一个长达三十个小时的演讲。你没听错，真的是三十个小时！听到最后，整个宇宙有一半的人都关了屏幕，睡觉去了。我把这个演讲压缩一下：

全宇宙的同胞们！大家好！

我代表类地星球说两句！我认为我们遭遇了不公正的指责。虽然我也承认我们在博物馆的管理工作中出现了一些"小小"的失误，但我们一致认为，火爆星球在儿童教育方面是不负责任的，由此才引起了这场闹剧。我们馆里很多珍贵文物都被毁坏了，那都是历史啊！所以我想借此机会跟大家，尤其跟火爆星球的公民们讨论一下，该怎样教育一个孩子，才能让他健康茁壮地成长。

讲得太深怕你们不容易理解，所以我举个例子。就说开飞船吧，这是一件很重要的事情，但也很复杂，因为一艘飞船上有各种各样的设备，一不小心就会酿成大错。而且一艘飞船上还需要各种专业人员，有人负责驾驶，有人负责添加能量，有人负责打扫房间和做饭，有人负责给乘客提供各种文化娱乐服务。这么多人生活在一起，如果不好好管理，肯定会出大问题！比如，驾驶员烦了，扔下一句"整天开飞船好无聊好累啊，我要回去睡觉了"，然后一睡就是一整天。飞船失去了控制，会不会很危险？再比如，做饭的厨师也觉得烦了，"整天做菜好闷啊！我看开飞船既有趣又刺激，我也来过一把驾驶瘾"，说着他从驾驶员手里一把抢过操纵杆！你想想，让厨师来驾驶飞船，最后大概率整个飞船都会被烧毁吧！

所以，一艘飞船要井然有序，需要每个人做他最擅长的事情，驾驶员驾驶飞船，厨师就是给大家准备可口的饭菜，每个人都应该认真负责，不应该随便抢别人的岗位。但是，谁来管理这些人呢？哪个岗位在飞船里是最重要的呢？当然是总指挥官！但是驾驶员不服了，"指挥官到底会什么啊？不会开飞船，不会扫地，不会做饭，凭什么来管我们啊？"指挥官就会说："我不用做这些具体的工作，我最重要的职责就是管理大家，让整个飞船井井有条，这个工作你们谁也做不了！"

说到这里，总统顿了一下，好像是被自己感动了，眼角湿润了。

咳，保安，把那个睡着的小朋友带出去！好，咱们继续。刚才说到哪儿了？哦，对，开飞船。为什么要说开飞船呢？我想用开飞船打个比方，就是人也像一艘复杂的飞船，有各种各样的器官，每个器官都负责自己的工作，不能乱！一乱人就会生病！你们会发烧感冒，就是因为你们不注意保养身体，病毒就趁机进来打乱了身体的平衡状态。你们再想想，在人的身上，哪个器官最重要呢？哪个器官能够管理整个身体，不让它出差错呢？肯定是人的大脑吧！大脑就是人身上的总指挥官！大脑看上去什么也不会做，它不会造血，不会消化，不会呼吸，但它会做一件最重要的事情，那就是管理人身上的一切，让它们井井有条。我说了开飞船，说了大脑，我最后想说什么呢？……我是想说，对孩子的教育和培养，最重要的当然是开发大脑！因为大脑是人的总指挥官，大脑出了问题，整个人就都会不好！那么大脑最需要的营养是什么？不是蛋糕，不是牛奶，而是知识！所以，传授知识才是儿童教育中最重要的。

讲着讲着，总统突然发现下面的人都走光了，只剩下两个小朋友在下面玩在线滚球游戏。听到总统讲完了，他们就摘下耳机，开始鼓掌。不过，这一场演讲并没有起到说服作用，因为火爆星球的总司令马上发表了演讲进行反击，他拉上自然星球的女王展开了一场对谈。

火爆星球总司令：女王大人，您好！我想表达一下不同的见解。刚才类地星球的总统说，人身上最重要的器官是大脑，这真的是很可笑！大家都觉得我们火爆星球的人没文化，好像整天就只想着锻炼身体，保护自己，但这是一个天大的误解！我要为我的人民辩护几句！首先，如果大脑真的有那么厉害，那就让它离开身体的其他器官自己去生活啊！它不需要养料吗？不需要心脏给它供血吗？整个身体都在供养着大脑，它怎么就飘飘然了呢？它根本离不开身体上的任何一个部分。想想看，如果心脏不好，呼吸困难，大脑还能正常思考吗？还能像指挥官一样悠哉游哉吗？还请大脑总统有时间到身体里走一走，看看忙忙碌碌的各个身体器官！

虽然这样说有点儿过了，大脑和身体是一家人，不能挑拨离间。但我还想再说一个例子。我们火爆星球的人看起来每天都在锻炼、习武，好像都是四肢发达、头脑简单的家伙，其实并不是这样的！因为你们根本不知道身体能做什么！根本不知道身体有多大的潜能！身体不只是一部机器，它实际上是一个很伟大的艺术家，它能够创造出各种各样的美妙音乐！当我们跑步、打球、做体操的时候，大脑并没有闲着，而是被身体引导着进行另外一种不一样的思考。

每种运动都像是在演奏身体这件巧夺天工的乐器，让它发出美妙的音响。这样的音乐传到大脑里，就慢慢变成了心灵的音乐。所以，身体健美的人，心灵也会很美好，因为，宇宙间有一种宏大的音乐，从身体传到心灵，让它们一起奏响生命的乐章！所以，教育不是只给大脑提供知识就行了，还需要从身体做起，让身体带着心灵一起合着宇宙的节奏起舞！

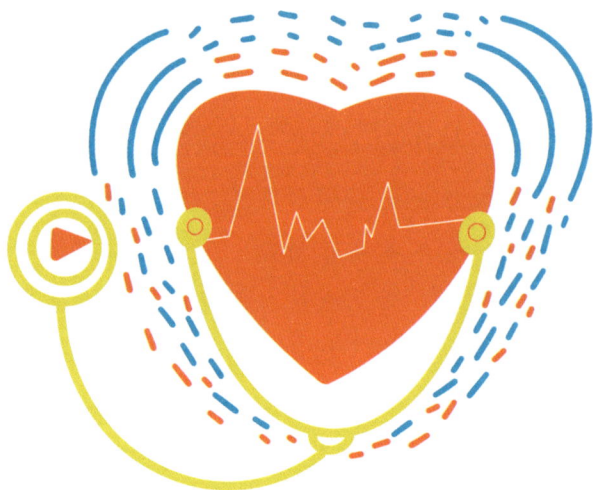

自然星球女王：火爆大人，您这番话说得我都心动了！真不知道您的口才这么好！不过，您嘴上是这么说，可是实际上却不是这么做的！身体确实很重要，但我看你们星球并没有很好地去开发和利用身体。你们说，身体里有一种大力量，这个力量是从宇宙里发出来的，这很有道理，但你看看你们是怎样开发身体的呢？体育、习武、搏击，你们锻炼身体的目的是什么？不就是为了赢过别人吗？

不就是为了在别人面前证明自己更有力量、更强大吗？然后呢？让别人在你们面前乖乖听话，给你们进贡，把土地献给你们！但你们又在土地上干了些什么？你们建了更多的体育场、竞技场、军营，培养出一批又一批像枚农这样的战士，再去征服更多的地方。

所以恕我直言，我觉得你们火爆星球的人太以自我为中心了，一点儿都不尊重自然，不尊重宇宙，你们只是想把整个宇宙的力量都吸到自己这儿，然后变成整个宇宙最有力量的主宰者！这是不对的！你们想想，宇宙那么大，望都望不到边儿，坐飞船从我们这里去你们那里需要一光年多的时间，你们这颗小小的火爆星球又算得了什么呢？只不过是宇宙里一粒小小的沙子！为什么还要那么骄傲，那么自以为是呢！

我们星球的人也重视身体，也想用身体来吸收宇宙的能量，但我们不想把自己当成整个宇宙的中心，我们想跟着宇宙的规律去运动去生活。我今天走到花园里，看到一朵小小的百合花，它那么小，却那么美，那么精致，真的是宇宙的杰作！所以什么是儿童的教育？就是带领孩子走到自然里去闻花香、听鸟鸣，去沐浴温暖的阳光！

这两位看起来真的要没完没了地说下去了。三个星球的孩子们实在坐不住了，他们不再看大人们的节目，而是自己弄了一个专门的网络频道，开始给彼此讲故事、唱歌、表演舞蹈。所以我们也停下来吧，你想一想，他们说得有道理吗？